集英社文庫（コミック版）

God《ゴッド》 Bless《ブレス》 You《ユー》

2001年9月23日　第1刷

定価はカバーに表示してあります。

著　者　槇《まき》村《むら》さとる

発行者　山　下　秀　樹

発行所　株式会社　集　英　社
東京都千代田区一ツ橋2－5－10
〒101-8050
電話　東京　(3230) 6326（編集）
(3230) 6393（販売）
(3230) 6080（制作）

印　刷　株式会社　廣　済　堂

Printed in Japan

ISBN4-08-617758-7 C0179

「かっこいい人なんだ？」
私の冷やかしに、彼女がはにかんで見せた笑顔は、とびきり素敵だった。
もう一人、小児喘息を持病としながらバレエを習っている友達もいた。何度も発作を起こしながらもついに辞めようとしなかった。
ハッピーエンドを見ながら、2人を強く思った。同時に、槇村氏の描く感受性の豊かな世界が、時代や流行とは無関係に女性を惹き付ける理由が飲み込めるようにも思う。
憧れの男性と踊り続けようと願い、小さなお弁当箱でランチを取っていた彼女と、体が弱く喘息の発作と葛藤しながら踊っていた彼女と。千穂の中に、友人が鮮やかに蘇ったようでもあり、たまらなく懐かしくなった。
あんなにバレエを愛していた2人のことだ。どんな形でもバレエに携わっているだろう。この本もきっとどこかで手に取り、読むに違いない。
この解説文を読んで驚くはずだ。
いや、今頃クスリと笑っているかもしれない。

God Bless You

槇村さとる

集英社文庫

God Bless You
CONTENTS

『God Bless You』…別冊マーガレット1991年10月号・11月号掲載。
『うさぎ』…マーガレット1992年No.2～No.5掲載。

（『God Bless You』は1993年5月に、『うさぎ』は1993年4月に、
それぞれ集英社より刊行されました。）

God Bless You

God Bless You
ゴッド ブレス ユー

Stuttgø
Ballett
槙村さとる

篤志《あつし》
空中《くうちゅう》で
3つ数《かぞ》えなさい
首《くび》が
ちぢんで
ますよ！
イ
ン
ー
！

なんで……
涙《なみだ》が出《で》るの…？
先生《せんせい》 篤志《あつし》君《くん》には ようしゃ ないんだから
ミーン
ミーン
ミーン

はっ
ゴシゴシ
きっ
どてっ
篤志《あつし》!
キッ
あららら…
どべっ
どうしよう
どうしよう
……苦《くる》しい……!
ハァ
ハァ
ハァ
ハァ
ハァ

千穂《ちほ》！
内藤
どこ行《い》ってたの 心配《しんぱい》したのよ
おばあちゃんに あやまりなさい そこらじゅう 探《さが》したんですよ
いいじゃないか ちゃんと 帰《かえ》れたんだから
お帽子《ぼうし》は どうしたの
？
公園《こうえん》……
お帽子《ぼうし》は 風《かぜ》で どっか いっちゃったの…
千穂《ちは》は お日様《ひさま》に当《あ》たると 夜《よる》 お熱《ねつ》が 出《で》るでしょ
早《はや》く手《て》を 洗《あら》ってらっしゃい！ うがいもよ！
まあま…

あの子《こ》ったら……
え?
ほら やっぱり 熱《ねつ》が出《で》た 今日《きょう》は 散歩《さんぽ》はなし!
それ全部《ぜんぶ》食《た》べて 好《す》き嫌《きら》いもダメよ そんなことじゃ あっち行《い》ったら くらせませんよ
カチャリ
あのね 千穂《ちほ》 ロンドン 行《い》かない
ここで…… おばあちゃんちで お留守番《るすばん》 してる!

千穂《ちほ》!?
やっぱりお友達《ともだち》いないとこなんてイヤだもーん
パパとママだって千穂《ちほ》がいなきゃさみしいな
千穂《ちほ》は平気《へいき》なの?
ごくっ
で…
でも…
だいじょうぶよパパたちは大人《おとな》でしょ!?
千穂《ちほ》は行《い》かない
ぜったい行《い》かない!!
千穂《ちほ》!
もう決《き》めたんだもん!!
さあ はじめますよ
バーにつきなさい

ミーーン
ミーーン
一番《いちばん》ドゥミ・プリエ
ミーーン
ガラ
ひざは外《そと》へ
かかとは前《まえ》へ
むずむず
ぷーっ

すッ
はっ
先生《せんせい》──っ
外《そと》に
へんな子《こ》がいます
ここの生徒《せいと》じゃ
ありませーん
コツ
コツ

そんなことで
気《き》が散《ち》っていては
よいバレリーナには
なれませんよ
コツ
コツ

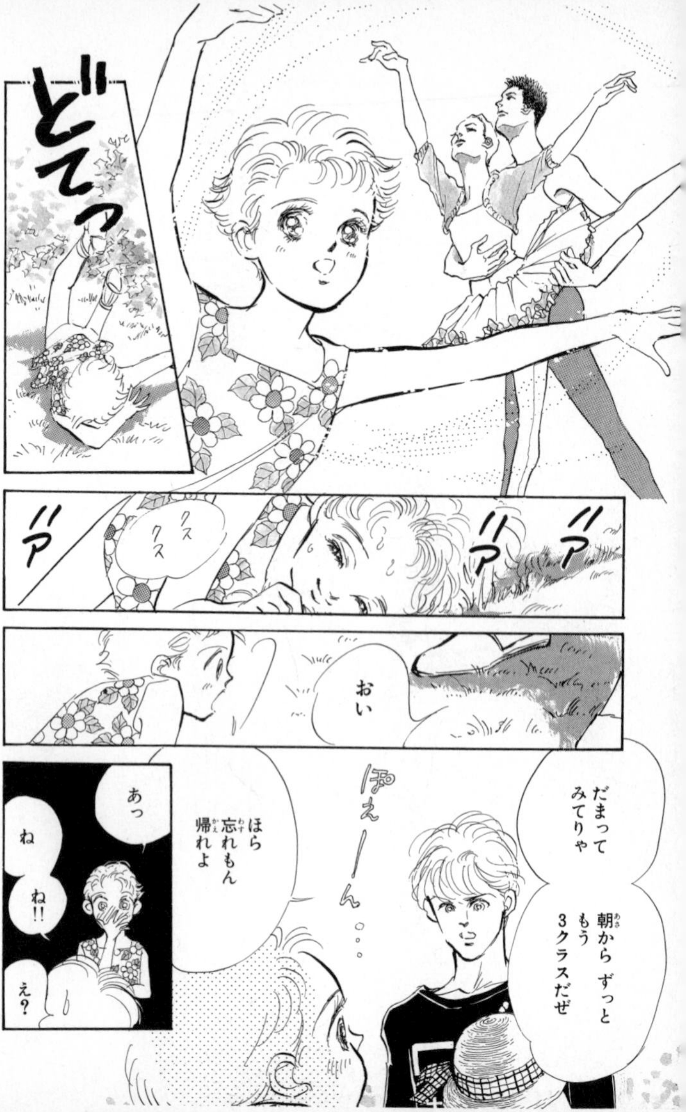
どてっ
ハァ
ハァ
クスクス
ハァ
おい
だまって みてりゃ
朝《あさ》から ずっと もう 3クラスだぜ
ぽえーーん・・・
ほら 忘《わす》れもん 帰《かえ》れよ
あっ
ね
ね!!
え?

千穂《ちほ》も あれやりたいの
一緒《いっしょ》にやって!?
ぷーーっっ
できねーよ
おまえには
できるもん!!
あーゆーのは
毎日毎日《まいにちまいにち》
レッスンして
100年《ねん》くらい
やんなきゃ
ダメなの
じゃっ
千穂《ちほ》
毎日《まいにち》やる
ひゃくねんやる
そしたら
ね!?
う
あ。。
ハア..

おいっ
りぐにゃ〜〜っ
どしたん
だよおおっ
千穂《ちほ》!?
ママ!
ママ大変《たいへん》!!

この子《こ》は 体《からだ》があまり 丈夫《じょうぶ》じゃなくて ……… 熱《ねつ》は しょっ中《ちゅう》なんです
昨日《きのう》と今日《きょう》で あわせて 5クラス 庭《にわ》でやってたぜ
もー バーレッスンは 覚《おぼ》えちゃったぜ このチビ
この子《こ》が？
ほんとうに ごめいわく おかけしました
まさか こんなところで……
何《なに》をするにも ぽーっとして 集中《しゅうちゅう》するのが ヘタな子《こ》なのに…
子供《こども》は 本当《ほんとう》にやりたい ことしか 出来《でき》ないんですよ
…… ……
それで… 昨日《きのう》はじめて この娘《こ》は嘘《うそ》を つきました
今朝《けさ》はじめて 反抗的《はんこうてき》な 態度《たいど》で…
やらせて あげたら どうですか？ 体《からだ》にもいいし

そうして やりたいのは 山々《やまやま》ですが
実《じつ》は 主人《しゅじん》の転勤《てんきん》で もうすぐ イギリスへ
行《い》かない！
千穂《ちほ》は 日本《にっぽん》にいる！ 毎日《まいにち》おどる！
だから ロンドンなんか ぜったい 行《い》かない!!
千穂《ちほ》 こらっ
千穂《ちほ》ちゃん
良《よ》い先生《せんせい》は 世界中《せかいじゅう》に いますよ
バレエは どこの国《くに》にも あるんですから
バレエ？
ぴた

バレエって いうの？
ふん！
そーんなことも 知《し》らねーの
いいえ
千穂《ちほ》ちゃんは バレエを ――
とっても よく 知《し》っているわ
どきっ
あちらの 先生《せんせい》に 紹介状《しょうかいじょう》を 書《か》きましょう ロンドンについたら 行《い》ってみなさい
だけど こわい先生《せんせい》よ
平気《へいき》！ 千穂《ちほ》 バレエ できるんなら なんでも 平気《へいき》！

本当《ほんとう》に色々《いろいろ》
あちらから また ご連絡《れんらく》させて いただきます
あつしくん
ロンドンから 帰《かえ》ってきたら ぜったいぜったい あれやろうね！
ブタみたいに 太《ふと》らなかったら やってやる
やくそくよ！

ママ…
なんで あの子《こ》の方《ほう》が バレエ 知《し》ってるんだよ
だれでも… 最初《さいしょ》は 知《し》っているの…
それをいつまでも 忘《わす》れずにいられるかが 大事《だいじ》なんですよ
先生《せんせい》 そろそろ お時間《じかん》です したくを…
車《くるま》回《まわ》して きます
付
不思議《ふしぎ》な すれちがいね
私《わたし》は今日《きょう》を最後《さいご》に 舞台《ぶたい》を引退《いんたい》する けれど
一人《ひとり》の女《おんな》の子《こ》が 今日《きょう》から 踊《おど》りはじめる
最高《さいこう》の はなむけよ

GISELLE
灰田真利子引退公演
東京バレエ・アカデミー
パタン…
灰田《はいだ》篤志《あつし》12歳《さい》
内藤《ないとう》千穂《ちほ》5歳《さい》

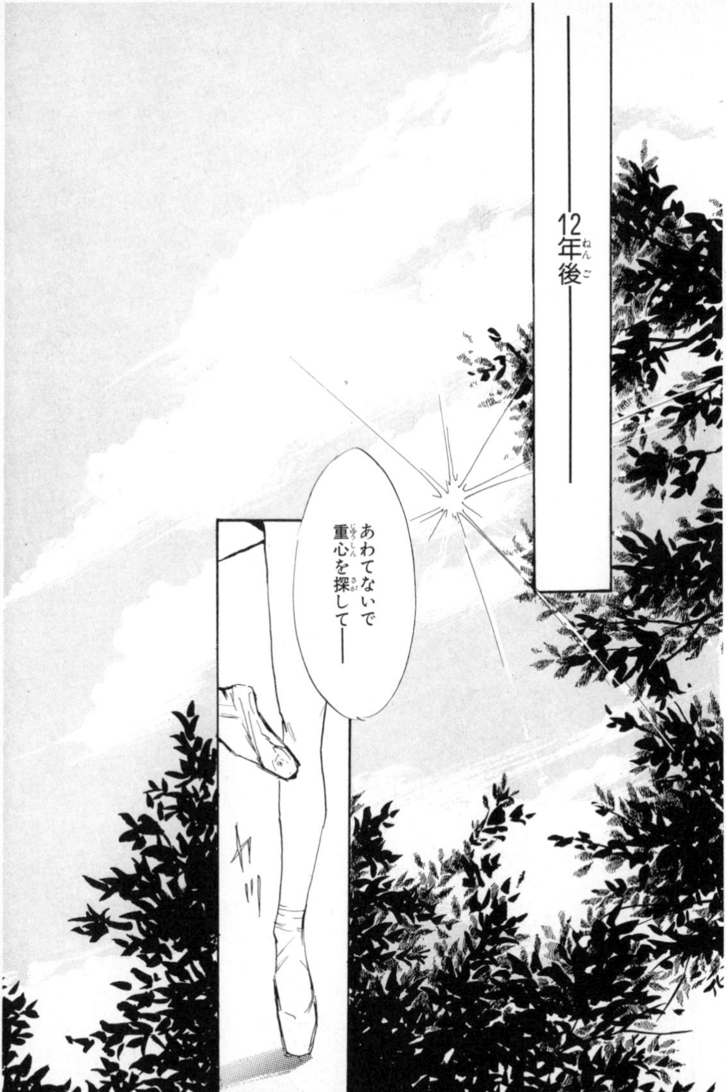
――12年《ねん》後《ご》――
あわてないで重心《じゅうしん》を探《さが》して――

ゆっくり
パンシェ
パドブレ　5番《ばん》
はい　よろしい
次《つぎ》は――
左前《ひだりまえ》の5番《ばん》から…
ミーン
ミーン
………
先生《せんせい》？

ザッ
やっぱり灰田《はいだ》先生《せんせい》もうれしいのよ
篤志《あつし》さんが帰国《きこく》して本格的《ほんかくてき》にここをつぐんだもの
キャーーッ
篤志《あつし》さまーー あたし彼《かれ》めあてにここ受《う》けたの！
彼《かれ》って小《ちい》さい頃《ころ》からスターじゃない？でも すっごく気《き》さくな人《ひと》なのよ
彼《かれ》がいるだけでおけいこがすっごく楽《たの》しいの
篤志様《あつしさま》は私《わたし》の王子様《おうじさま》なのーー
あーー一回《いっかい》でいいっ一緒《いっしょ》に踊《おど》りた〜〜〜〜い
あんた世界《せかい》がせますぎんじゃないの？

バレエやってる 男《おとこ》なんて それだけで アブナイわよ
どいて
白《しろ》タイツの プリンス・チャーミングに キスなんかされた日《ひ》にゃ 目《め》がさめるどころか 気絶《きぜつ》しちゃうわよ
そーゆーことに 何《なん》のギモンも もたないから 日本《にっぽん》のバレエって 遅《おく》れてんのよ
発育《はついく》が 遅《おく》れてて 悪《わる》かったわねっ
でも あんたみたいに スレてるより ましよ！
タマちゃん！ かまわない方《ほう》が いいよ
千穂《ちほ》っ！

あ?
バリシニコフや ガニオや クラガンも アブナイっていうの!?
許せない発言
そりゃ 芸術《げいじゅつ》の世界《せかい》だもん ゲイだって いっぱいいるけど
でも! ノーマルでステキな 男《おとこ》だっているわよっ
ケケッ
由起《ゆき》の夢《ゆめ》は そーゆー男《おとこ》と ジゼルみたいな 恋《こい》したいのよねぇ
そう 私《わたし》は はかない命《いのち》で 彼《かれ》の腕《うで》の中《なか》で 息《いき》たえるの うふふふふ
ロマンチック~~
バーカ
バレエダンサー位《ぐらい》 頑丈《がんじょう》な人種《じんしゅ》なんて いないわ みんな80や90 平気《へいき》で 生《い》きるじゃん
あーーたりぃ
サボりた~い
ダメッ
団員レッスン
見学者は静かに
寺西様
今月の会費 未納です。 五日までに 納めて下さい

みんな すでに 知《し》っていると思《おも》うが 灰田篤志《はいだあつし》が来週《らいしゅう》 4年《ねん》ぶりに帰国《きこく》 正式《せいしき》にうちのバレエ団員《だんいん》 となる
まずは軽《かる》く おひろめというか 東京《とうきょう》バレエ フェスティバルで ジゼルのパドドゥを レスリー・ギリアムを むかえて踊《おど》る
きゃー レスリーと 篤志《あつし》さんて いいのよねー
団《だん》としても 彼《かれ》をバックアップ するために シンプルだが 群舞《ぐんぶ》をつける ことになった
メンバーを 灰田先生《はいだせんせい》から 発表《はっぴょう》して いただく
カタ。。
白鳥貴子《しらとりたかこ》 有賀紀美子《ありがきみこ》
はいっ！
内山《うちやま》あかり
ミーン
ミーン
ミーン

田中尚子《たなかなおこ》
内藤千穂《ないとうちほ》
千穂《ちほ》すごーい
篤志《あつし》さんのうしろで踊《おど》れるなんて〜〜〜〜っ
予定外《よていがい》のステージなんてめいわくバイトがあんのに
以上《いじょう》24名《めい》
レッスンは明日《あした》からです
千穂《ちほ》は篤志《あつし》さんにあったことないからそーゆーのよ!
……
篤志《あつし》さんとやらはずっとNY《ニューヨーク》にいたんでしょ? ゲイよ
ガブ
内藤《ないとう》さん

灰田《はいだ》先生《せんせい》の遠縁《とおえん》か ごひいきか知《し》らないけど
あなたが群舞《ぐんぶ》に入《はい》ると乱《みだ》れるのよね色々《いろいろ》……
みんなの足《あし》をひっぱらないように今《いま》からお願《ねが》いしておこうと思《おも》って
アヒル―― いつもズルズル徒党《ととう》組んでだから あんたたちのことキライなの あたし
むっ
これは全員《ぜんいん》の総意《そうい》よ! この公演《こうえん》は大事《だいじ》な……
バカじゃないの? 王子《おうじ》のうしろで4~5ポーズ立《た》ってりゃいいだけなのに
千穂《ちほ》!

あ――
あたしぃ
今夜《こんや》いくから
席《せき》をとっといてよ
え――やだ――
カズヤが紹介《しょうかい》してくれる
奴《やつ》って みんな
イカレてるもん
ガチャン!
じゃ
あとでね
あわてることない
灰田篤志《はいだあつし》が
戻《もど》ってくるからって…

私《わたし》は もう
12年前《ねんまえ》の私《わたし》じゃない
千穂《ちほ》こっちこっち
踊《おど》れないんだから
どしたよ 急《きゅう》に
ん?
今日《きょう》だって!
今日《きょう》のリハーサルから篤志《あつし》さんくるって
えー—? 見学《けんがく》したーい

音《おと》を立《た》てない！
そのまま24小節《しょうせつ》ポードブラそろえて
内藤《ないとう》！
だら‥

先生《せんせい》!
今日《きょう》あたし具合悪《ぐあいわる》い日《ひ》なんです
早退《そうたい》します
内藤《ないとう》!
群舞《ぐんぶ》のリハーサル中《ちゅう》じゃないの?
こわいの?
あたし性《しょう》にあわないのししゃも踊《おど》りのその他大勢《たおおぜい》って!
どす
どす
どす
どす
女子ロッカルーム
千穂《ちほ》!?
何《なに》いってんのよ公演《こうえん》はあさってよ!
バレエ団《だん》クビになるわよ!
……………
篤志《あつし》くんを失望《しつぼう》させるのが

なつかしいな
俺《おれ》のロッカーまだある？
そうね……
いっそやめちゃった方《ほう》が…
あっ!!

灰田篤志《はいだあつし》!
ザッ!!
千《ち》…
飛《と》べっ!!

へなっ
どき…ん
どき…ん
すげえ アクロバチック！
篤志《あつし》くん！

ありがと
バッ
はっ
おけいこ場《ば》に
戻《もど》りなさい
内藤《ないとう》さん
今戻《いまもど》らな
ければ
あなたは
自分《じぶん》に負《ま》ける
自分《じぶん》に…!

戻《もど》りなさい!!
カチャッ

ゲろ〜っ
天井《てんじょう》にへばりついたまま
降《お》りてこねえっ

篤志《あつし》！演目《えんもく》はジゼルですよ
パタン
しんきくさいよ アルブレヒトって 優柔不断男《ゆうじゅうふだんおとこ》で イヤなんだよ
ガラ・コンサートなんて 幕《まく》の内弁当《うちべんとう》みたいなもん なんだから 派手《はで》なの踊《おど》った方《ほう》が得《とく》だよ
「海賊《かいぞく》」とか 「ドンキホーテ」とか 客《きゃく》に受《う》けの いいヤツやろーぜ
確《たし》かに バジルや 海賊《かいぞく》の方《ほう》が お似合《にあ》い かもね
君《きみ》……
手足《てあし》を バタバタさせて フンフン 大見栄《おおみえ》きって 踊《おど》る方《ほう》が 灰田篤志《はいだあつし》には お似合《にあ》い
何《なに》も もとには 戻《もど》らない……

ずいぶん
お鼻《はな》が
高《たか》くなってる
みたいだし
床《ゆか》に頭《あたま》が
くっついちゃうくらい
そっくり返《かえ》って踊《おど》れば
見《み》ものだわ
猿回《さるまわ》しみたいで!!
ザワ
カッチーン
いっそ
きらわれた
方《ほう》が!

ずいぶん口《くち》の悪《わる》い団員《だんいん》入《い》れてんだな
そこまでゆーからには踊《おど》れんだろーなあんた
踊《おど》れよ!
曲《きょく》!ジゼルでも何《なん》でも弾《ひ》いて
篤志《あつし》さんジゼルの代役《だいやく》はわたしっ…
曲《きょく》!!
先生《せんせい》!

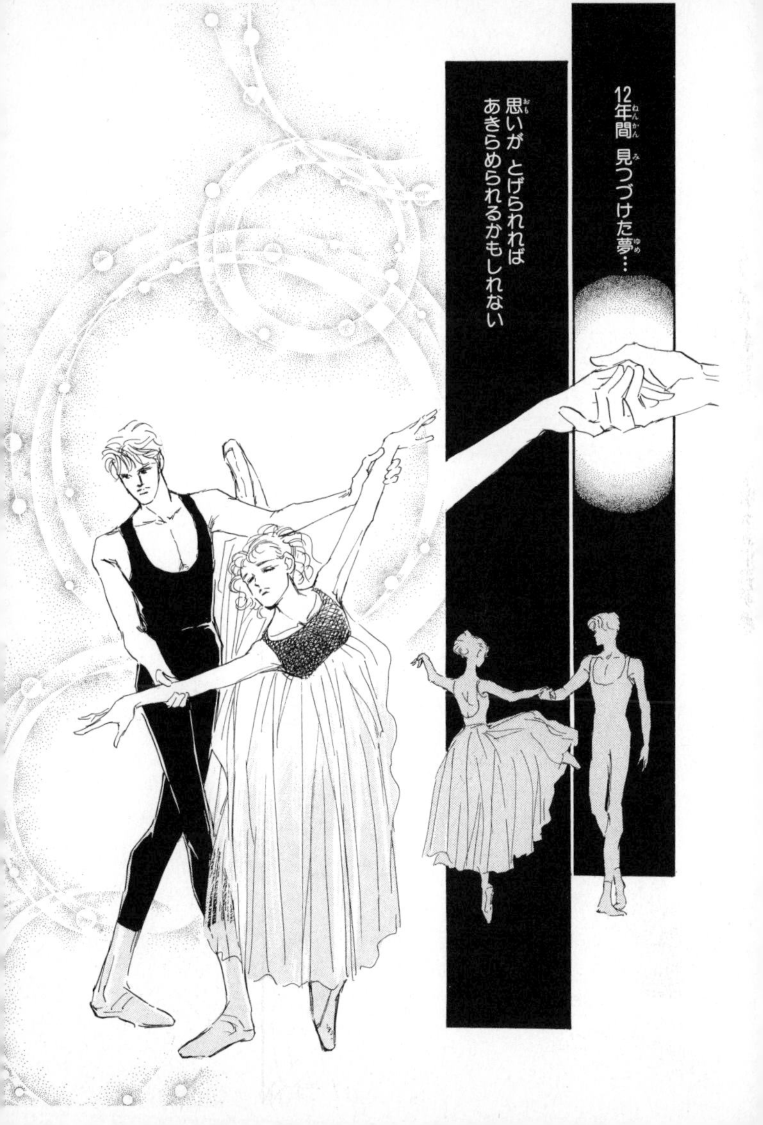
12年間《ねんかん》 見《み》つづけた夢《ゆめ》…
思《おも》いが とげられれば
あきらめられるかもしれない

カク
口《くち》ほどにもない
1年《ねん》以《い》上《じょう》
まともなレッスンを
してないだろう

夢《ゆめ》は…
かなつたんだから……
千穂《ちほ》!!
千穂《ちほ》…?
日射病《につしやびよう》の千穂《ちほ》!?
ガタッ
1年前《ねんまえ》に帰国《きこく》して入団《にゆうだん》したのよ

うそだろ!?

世界中《せかいじゅう》をかけめぐり
ありとあらゆることをしてきた
それっぽい歌《うた》も歌《うた》ったし
ひでェのもあったな
俺《おれ》の人生《じんせい》はいつもステージの上《うえ》
一万大衆《いちまんたいしゅう》の見守《みまも》る中《なか》だった
でも今《いま》は この歌《うた》を
おまえだけに歌《うた》っている
おまえの思《おも》うような男《おとこ》には
一生《いっしょう》なれないだろうけど
俺《おれ》には
おまえより大事《だいじ》なものなんて
何《なに》もないんだ
わかるかい?
だから ここで この歌《うた》を
おまえに歌《うた》ってるんだ

カン
今日《きょう》は夢《ゆめ》が かなった お祝《いわ》いなんだ
うそつけ
仕事《しごと》 さがさなきゃ あ——あ おばーちゃんの めんどうも 見《み》なきゃ なんないし
お姫《ひめ》さまは 目《め》ざめて 明日《あした》から 社会復帰《しゃかいふっき》よ
ディズニーランドで 踊《おど》ろかな
豪華客船《ごうかきゃくせん》の ダンサーも いいわね
ばか言《い》うなよ
ブルースシンガー…… かっちょいい
金《かね》には ならないわね
ガハハハハ
千穂《ちほ》 やめちゃうの？ バレエ
すっごい コンクールで 優勝《ゆうしょう》したん でしょ？
1年《ねん》も前《まえ》のことよ
え——でも もったいな〜〜い

あーゆー伝統芸能《でんとうげいのう》はね 毎日毎日《まいにちまいにち》 絶対休《ぜったいやす》まず 100年《ねん》ぐらい やんなきゃ ものにならないのよ
伝統…
ししゃも
明日《あした》の ししゃも踊《おど》りで 踊《おど》りおさめよ!
カカカ。
慎之介《しんのすけ》の部屋《へや》 いっていい?
ダメ
なんでよ ごはんつくって あげるよ
メシぐらい 自分《じぶん》で つくる
シャコ シャコ
また なっとうとネギ いためるん でしょ
らっしゃーい
千穂《ちほ》 このごろ へんだよ
慎之介《しんのすけ》に 甘《あま》えたいんだよ も少《すこ》しやさしく してやりゃ いいのに
あいつが 淋《さび》しがってる時《とき》に のこのこ 寄《よ》ってって

よけい空《むな》しくさせる役回《やくまわ》りはごめんだ
ダダダ
ダダーッ
No.21
東京バレエ・ア 群舞様 控室
大変《たいへん》よっ レスリー・ギリアムが急病《きゅうびょう》で今朝《けさ》入院《にゅういん》しちゃったって!!

じゃ代役《だいやく》!?
チャンスよレイコさん
ジゼルが機内食《きないしょく》食《く》いすぎてくたばったとさ
内藤千穂《ないとうちほ》!おまえが踊《おど》れ!

あたしに
踊《おど》れるはず
ないでしょ!?
あんたバカじゃ
ないの？
このまえのこと
おこってるん
だったら
あやまるわよ
こんな
手《て》のこんだ
イジワル
しなくったって
あたし今日限《きょうかぎ》り
バレエやめんのよ!!
裏切《うらぎ》り者《もの》
adidas

やめるなら
12年前《ねんまえ》の約束《やくそく》を
果《は》たしてからにしろ
あっ…
衣裳《いしょう》
つけてやって
ああ…
ダメよ
篤志《あつし》
千穂《ちほ》ちゃんは
1年前《ねんまえ》に!
踊《おど》れる!
1年《ねん》は
たるんだレッスン
してたろうが
その前《まえ》は
11年間《ねんかん》
1日《にち》も休《やす》まず
踊《おど》ってたね
あの体《からだ》は

1年前《ねんまえ》に
何《なに》があったか
知《し》ったこっちゃない
ワァァァッ
ただ悲《かな》しいんだ
あの娘《こ》が……
他《ほか》のだれでもない
あの娘《こ》が……
パチパチパチパチパチパチパチパチ
ハァァッ
なんて豪華《ごうか》!
バレエの
福袋《ふくぶくろ》ってとこね
次《つぎ》は
レスリー・
ギリアムと
灰田篤志《はいだあつし》の
「ジゼル」よ!!
シーーーン

おまえが忘《わす》れても
俺《おれ》は覚《おぼ》えてる
足《あし》のポジションも知《し》らない
プリエもやったことがない
だけど踊《おど》ってた
ぶっ倒《たお》れるまで
思《おも》い出《だ》せ
だれよりも
踊《おど》ることを知《し》ってた時《とき》の
千穂《ちほ》を
あら?
しっ!

なにもいらない
音楽《おんがく》があれば
もう
それだけで
Gifted Legs!
?
?
おけいこ場《ば》の鏡《かがみ》の中《なか》に
ステージの
ライトの中《なか》に…
生《う》まれては消《き》え
消《き》えては生《う》まれる
音《おと》と動《うご》きの
一瞬《いっしゅん》の輝《かがや》きを
ただ おいかけて
いるだけで
幸《しあわ》せで……

パチ
千穂《ちほ》すごいバランス
拍手《はくしゅ》が……！
パチ
パチ
パチ
きゃーん
パチ
パチ
パチ
幸《しあわ》せ……

ガク…
あ
がくッ
!?
千穂《ちほ》!?
どうしたんだ

止《と》まるな
踊《おど》るんだ!!
ザワッ

音《おと》が……
聞《き》こえない
ザワ
ザワ

幕《まく》をおろして
おろして
あげて……
あの娘《こ》……
ところで
あの子《こ》
だれだったの?
えーと

千穂《ちほ》
千穂《ちほ》おちついて…!
口《くち》ほどにもないってホントねっ
先生《せんせい》にも篤志《あつし》さんにも恥《はじ》かかせて
ばっ
千穂《ちほ》!まてよっ
びくっ
あそこまで踊《おど》っててありゃ何《なん》だよ!!説明《せつめい》しろよ
ハァ

あなたを利用《りよう》したと思《おも》われてもしかたないけど……
？
もしかしたらあなたを追《お》いかけて夢《ゆめ》をたぐってゆけば……
戻《もど》れるかもしれないって思《おも》った
でもダメ…もう本当《ほんとう》にダメ
音楽《おんがく》がきこえないの
だけど信《しん》じて
ずっと踊《おど》りたかった篤志君《あつしくん》の手《て》をとって

千穂《ちほ》!!
それだけが
最後《さいご》まで残《のこ》つた
夢《ゆめ》だつた

今村《いまむら》さ———ん
洗濯《せんたく》もの
ぬれてるよ———
ガバッ
ガラッ
ガタッ
千穂《ちほ》？

どうしたんだ
ガチャッ
おい
よせよ
危《あぶ》ねえよ
ハサミ
出《だ》すから!!
千穂《ちほ》!?
…………

カチャン
千穂《ちほ》ちゃんが
踊《おど》れなくなったのは
1年前《ねんまえ》
ご両親《りょうしん》が
亡《な》くなったのよ

彼女《かのじょ》は ローザンヌのコンクールで 決勝《けっしょう》まで残《のこ》ってた
決戦日《けっせんび》に あわせてロンドンから スイスに渡《わた》った ご両親《りょうしん》が 列車事故《れっしゃじこ》で 亡《な》くなってしまったのよ
彼女《かのじょ》は グランプリを受賞《じゅしょう》した 一番《いちばん》輝《かがや》かしい瞬間《しゅんかん》に
家族《かぞく》を なくして しまったの
あのおばさんが……

踊《おど》ろうとすると パックリ傷《きず》が 開《ひら》くのでしょう
彼女《かのじょ》が そう言《い》うのなら 本当《ほんとう》に音《おと》も 聞《き》こえなくなるんでしょう
人並《ひとなみ》はずれた 感受性《かんじゅせい》をもつ 千穂《ちほ》ちゃんには ダメージが 大《おお》きすぎたのよ
ばちがあたったのよ
ばか言《い》うな
あたしは 幸福《こうふく》しか 知《し》らなかった
当然《とうぜん》のように 愛《あい》されることしか 知《し》らなかった
あたしのせいで パパたちは 人生《じんせい》を棒《ぼう》にふったのよ!

愛《あい》される資格《しかく》も　踊《おど》る資格《しかく》もない
きっと　だれも　あたしを　愛《あい》してなんか
……

千穂《ちほ》……
もういい
そんなに自分《じぶん》を追《お》いつめるな

失礼《しつれい》します
ここ
灰田《はいだ》さんの
控室《ひかえしつ》ですね?
わたくし
読朝《よみあさ》TV《テレビ》の
ディレクターの
森田《もりた》ですが
あの
ちょっと今《いま》
とりこみ中《ちゅう》で
あの女《おんな》の子《こ》
去年《きょねん》のローザンヌの
内藤千穂《ないとうちほ》さん
ですよね
ドキュメント?
ええ
去年《きょねん》のローザンヌの時《とき》
彼女《かのじょ》にえらくひかれまして
だって輝《かがや》いていたで
しょう?
彼女《かのじょ》を主役《しゅやく》に
番組《ばんぐみ》を一本《いっぽん》
つくれないかと
——そしたら
あの事故《じこ》で
彼女《かのじょ》の消息《しょうそく》も
つかめなくなって
しまって
あきらめていたのが
なんと今日《きょう》——
とゆー訳《わけ》で…
どうでしょう?
挫折《ざせつ》をのりこえて
再《さい》デビューできたら
いい番組《ばんぐみ》になると
思《おも》いませんか?

お断《ことわ》りします
そんな興味本位《きょうみほんい》で彼女《かのじょ》を――
いい企画《きかく》だな
うちの団《だん》の宣伝《せんでん》にもなるし マスコミさんを利用《りよう》させてもらおうよ
読朝《よみあさ》TV《テレビ》だったら 読朝《よみあさ》バレエコンクールに関係《かんけい》してるよね
それで彼女《かのじょ》が再起《さいき》するってストーリーはどう？
篤志《あつし》!?
これ以上《いじょう》千穂《ちほ》ちゃんを苦《くる》しめるのは…！
苦《くる》しめたいんじゃない！
なんで 耳《みみ》が聴《き》こえなくなるほどの激《はげ》しい抑圧《よくあつ》がかかるんだ？

すごい欲求《よっきゅう》だからさ 本当《ほんとう》は渇望《かつぼう》してるからさ
踊《おど》ることしか あいつは方法《ほうほう》を 持《も》ってない 踊《おど》りが「言葉《ことば》」で「すべて」だからさ
そういう人間《にんげん》が ごく まれに いるんだよ 千穂《ちほ》は それなんだよ
母《かあ》さんが千穂《ちほ》を 見捨《みす》てられないのも あの才能《さいのう》を 信《しん》じてるからだろ!?
……その通《とお》りよ
だけど もし失敗《しっぱい》したら? 千穂《ちほ》ちゃんが ボロボロに なって しまったら?
ダンサーは だれだって 自分《じぶん》に見切《みき》りを つけなくちゃ ならない時《とき》はくる
だけど それは 自分《じぶん》と 闘《たたか》いつくした あとだ
弱腰《よわごし》で 逃《に》げ回《まわ》ってたんじゃ あきらめなんか つくもんか

必《かなら》ずひきずり出《だ》してやる
バン！
いいこと言《い》うじゃないですか
温室育《おんしつそだ》ちのボンボンかと思《おも》ったら
あ・失礼

ねえ
なんで篤志《あつし》さん
レッスンに
こないの？
やっぱり
あれじゃない
私《わたし》たちとは
レベルちがうし
ちょっと
鼻《はな》にかけてる
とこあるしサ
恋人《こいびと》に
したいって
タイプじゃ
ないわよねぇ
アハハ…
そういえば
内藤《ないとう》千《ち》穂《ほ》
やめちゃったって
ホント？
あの人《ひと》
ローザンヌ
入賞《にゅうしょう》してた
って話《はなし》は
うるさいわよ
しゅん……

DooR
おまたせ しました
中華《ちゅうか》オードブルと コロッケですね？
千穂《ちほ》──っ ちょっと ちょっとお
DooRs
「玉《たま》ちゃん紺《こん》ちゃん」の コンサート いかない？ 明日《あした》チケピに TEL《テル》すんの
いかな──い 金《かね》ないもん
生《なま》テープ渡《わた》すから ぬすみ録《ど》りしてきて
OK《オーケー》！
ぎゃはははっ
いらっしゃいま……
はっ
DooRs

いらっしゃい……
だれに――きいたの？
おばあちゃん――耳《みみ》聞《き》こえないんだな
ショックでね――パパたちが死《し》んだ時《とき》から
耳《みみ》が弱《よわ》いのね うちの家系《かけい》 きっと
オーダーは？

読朝《よみあさ》コンクール
俺《おれ》と出《で》ないか？
致命的《ちめいてき》よ 音楽《おんがく》が聞《き》こえないって……
ガタ
千穂《ちほ》！ 俺《おれ》たちけっこううまくやれると思《おも》うんだ
あたし 今《いま》 好《す》きな人《ひと》とくらしてるの
千穂《ちほ》ちゃーん
はーーい

俺《おれ》の手《て》の中《なか》に
さえずる小鳥《ことり》がいる
愛《いと》しいその訳《わけ》は
この世《よ》でただ一人《ひとり》の女《おんな》だから
パチパチ
パチパチ
パチパチ
パチパチ
ゴクッ
いつでも分《わ》かるもんさ
他《ほか》に男《おとこ》ができた時《とき》は

ザワ ザワ ザワ
いらっしゃいませ——
千穂《ちほ》を放《ほう》っといてくれないか
あれは舞台《ぶたい》に出《で》ると引《ひ》きさかれて動《うご》けなくなる
何《なに》もできないデクの棒《ぼう》といっしょだ

一歩《いっぽ》も
動《うご》けなくても
踊《おど》りたいんだ
あんたも
歌《うた》い手《て》なら
そういう
苦《くる》しみは
わかるだろう?
千穂《ちほ》は
苦《くる》しんでる
踊《おど》らなきゃ
立《た》ち直《なお》れない
勝手《かって》な理屈《りくつ》も
けっこうだが
千穂《ちほ》が もう
やめるって
言《い》うんだ
それを
あんたが
とやかく言《い》う
すじあいじゃない
俺《おれ》には
責任《せきにん》が
ある
あいつが
踊《おど》りはじめた
瞬間《しゅんかん》に
立《た》ちあったんだ!
あんたこそ
千穂《ちほ》の何《なに》を
わかるってんだ
わかりゃしない
………
わかりたいなんて
思《おも》ったこともない

愛《あい》してるだけだ
帰《かえ》んな

わかりたいとも思《おも》わない
愛《あい》してるだけだ
ちがう！
まちがってる
？
まちがってない！…

パートナーの重心《じゅうしん》を
感《かん》じて――
男《おとこ》なら絶対《ぜったい》に
女《おんな》を落《お》とすな
篤志《あつし》さん
ちょっと
………
ぐいっ
きゃあっ
あ…

灰田《はいだ》！ばかやろうっ
平気《へいき》です
先生《せんせい》
……
ごめんっ
灰田《はいだ》！
篤志《あつし》さん
気《き》にしないで
ケガはないから
それより…
TV《テレビ》局《きょく》が
入《はい》ってるのは
コンクールでしょう？
読朝《よみあさ》に出《で》るの？

私《わたし》をパートナーに選《えら》んで
私《わたし》を踊《おど》らせて篤志《あつし》さん
君《きみ》じゃない
踊《おど》らせたいのは……
あの娘《こ》はダメよ踊《おど》れないわよ

こーゆーの
食《た》べたこと
ないなァ
ジャッキー
100%
食《た》べれば？
いい！
栄養《えいよう》なさそう
ポイ
でも
食べてみたい
でもジャンクすぎる
食べたらブタ
?
スナック
ああっ
この店内放送《てんないほうそう》
やだな——っ
歩《ある》きにくいったら！
セカされてるみたいっ
そーか？
慎之介《しんのすけ》って
姿勢《しせい》が悪《わる》いね

おまえ…
千穂《ちほ》
ごめん…
でも
思《おも》い知《し》るわ
毎日毎日《まいにちまいにち》
踊《おど》りだけを
中心《ちゅうしん》に
生活《せいかつ》してたって
ことが
軽《かる》い体《からだ》を
つくる食事《しょくじ》
筋肉《きんにく》を保《たも》つための
栄養《えいよう》
コンディションを…
悪《わる》い
仕事《しごと》の打《う》ち合《あ》わせが
入《はい》ってるんだ
じゃ店《みせ》でね
解《わか》って欲《ほ》しい
あなたは
やさしい
決《けっ》して
さわろうとしない
わたしの傷《きず》に

わたしの心《こころ》に——

わたしに―――

母《かあ》さん
おきてる？
カチャ…
ここへ来《き》た時《とき》のこと――どんなだった？
千穂《ちほ》のこと話《はな》してくれない？
頭《あたま》ン中《なか》がそればっかになっちゃって
1990 PRIX DE LAUSA
これを――ロンドンから千穂《ちほ》ちゃんのお母様《かあさま》が送《おく》りつづけてくれた手紙《てがみ》よ……
それと去年《きょねん》のローザンヌの時《とき》の千穂《ちほ》ちゃん
パラ…
トントン…
ありがと

千穂《ちは》は元気《げんき》で
バローズ先生《せんせい》のクラスに
通《かよ》っております
行《い》き帰《かえ》りの3時間《じかん》も
何《なん》の苦《く》もない様子《ようす》…
私《わたし》はまだ地下鉄《ちかてつ》の乗《の》り降《お》りも
ままならないのに
ロイヤル・バレエ・スクール
の寮《りょう》に入《はい》りました
学校《がっこう》の期末試験《きまつしけん》に
あたる
初舞台《はつぶたい》は
成功《せいこう》でした
不思議《ふしぎ》ですね
踊《おど》ると
女《おんな》の子《こ》って
いやに大人《おとな》っぽくて
主人《しゅじん》と一緒《いっしょ》に客席《きゃくせき》で
ポカンと見《み》ていました
本人《ほんにん》は満足《まんぞく》では
ないようす
くやしいのでしょう
泣《な》いてしまって…
そんな千穂《ちほ》を見《み》て
先生《せんせい》は
「訳《わけ》がわからない」と
いう顔《かお》を
されました
週《しゅう》に一度《いちど》
悪《わる》くすると
月《つき》に一度《いちど》しか
会《あ》えませんが
バレエさえ
あれば
この子《こ》は
幸《しあわ》せそうです
寮《りょう》の部屋《へや》を
訪問《ほうもん》しました
何《なん》の女《おんな》の子《こ》らしい
ものもない部屋《へや》
篤志《あつし》くんの
切《き》り抜《ぬ》きだけが
大事《だいじ》そうに
はられています
教授《きょうじゅ》から
バレエ団《だん》の
入団試験《にゅうだんしけん》を
うけるよう
おすすめが
ありましたが

本人《ほんにん》は
ローザンヌで入賞《にゅうしょう》して
奨学金《しょうがくきん》をもらい
篤志《あつし》さんのいる
ニューヨークへ留学《りゅうがく》
すると
決《き》めています
それを教授《きょうじゅ》に
伝《つた》える時《とき》の
千穂《ちほ》ったら…！
こんな誇《ほこ》らしげな
娘《むすめ》を見《み》たことが
今《いま》まで
あったでしょうか？
このコンクールに
娘《むすめ》は賭《か》けているんです
12年間《ねんかん》のすべてを！
この娘《こ》には
踊《おど》りしかありません
いいえ
踊《おど》りさえあれば
幸《しあわ》せな子《こ》なんです

踊《おど》らせて あげることが 私《わたし》たちの 愛《あい》です

先生《せんせい》！
大丈夫《だいじょうぶ》ですか？
バタバタ
今《いま》 懐中電灯《かいちゅうでんとう》をお持《も》ちします
ブレーカーは？
ああ おとなりも消《き》えてます 停電《ていでん》です
トコちゃん 階段《かいだん》 気《き》をつけてね
ピカッ
だけど信《しん》じて……

篤志《あつし》？
大丈夫《だいじょうぶ》？
あ
ずっと
踊《おど》りたかった
篤志《あつし》くんの
手《て》をとって

あっ 篤志《あつし》くん 篤志《あつし》くん
内藤《ないとう》さんは いったい いつからレッスンに くるのかなア
コンクールは 一週間後《いっしゅうかんご》 だけどォ
カメラ… 外出《そとで》れる？
そりゃ
彼女《かのじょ》が 働《はたら》いてる店《みせ》に 話《はなし》つけてあるから
案内《あんない》 するよ
助かった！
いらっしゃいませ
DooRs

ワァワァ
失礼《しつれい》しまーす
ドヤドヤ
「世界《せかい》なんでもドキュメント」でーす
あっ 千穂《ちほ》ちゃん 千穂《ちほ》ちゃん
やっと みつけた ちょっと こっちへ
何《なん》ですか? ちょっと!!
ライト こっちこっち
やめて ください
やっぱし まず ききたいのは 読朝《よみあさ》コンクールへの 抱負《ほうふ》っていうか
あとは プレッシャーを どうやって 超《こ》えるかって ことなんだけど

人《ひと》の傷《きず》をあばいて何《なに》が面白《おもしろ》いんだ
ザワ…
そんなんじゃありませんよ
さらさなきゃはじまらねーんだよ
触《ふ》れずに放《ほう》っといたらいつかカサブタになって治《なお》んのかよ
何《なに》もなかったかのように忘《わす》れるかよ

俺《おれ》は
おまえみたいに
千穂《ちほ》を
くさらせる気《き》は
ない
ガキッ
ガチャーン
やめろー
ここは俺《おれ》の店《みせ》だ
ーーっ
外《そと》でやれーーっ
慎之介《しんのすけ》!!
やめろおおっ
篤志《あつし》さん
話《はなし》がちがうじゃ
ないすか〜〜っ

出《で》てけ――っ
千《ち》穂《ほ》!!
おまえを立《た》ち直《なお》らせたいとか昔《むかし》に戻《もど》れとか
そんなんじゃないんだ
おまえと踊《おど》りたいんだ

千穂《ちほ》
千穂《ちほ》！

DooRs

淋《さび》しくて
不安《ふあん》で
胸《むね》がつぶれ
そうになっても
そこは
暗闇《くらやみ》で
一人《ひとり》きりだ

きこえる…
せみの声《こえ》
ピアノの音《おと》
あなたを見《み》て
胸《むね》をつかれて泣《な》いた
あの時《とき》と同《おな》じ

心臓《しんぞう》の音《おと》が……
ザワ
ザワ
ここだけのお話《はなし》ですけど内藤《ないとう》さんって心身症《しんしんしょう》じゃないかって
この前《まえ》は耳《みみ》がきこえなくなっちゃったらしいの今日《きょう》はだいじょうぶかしらネ

おばあちゃん 千穂《ちほ》は 3番目《ばんめ》 ほら
灰田篤志《はいだあつし》さんと 踊《おど》るのよ
次《つぎ》だぞ ぬかるなカメラ
はいっ
ぬかるな 音声《おんせい》!
はいっ
読朝バレエコンクール
第1部
1「創作 グロリアの夕べ」
2「ドン・キホーテ」
3「Song for you」
4「眠りの森の美女」
5「ロメオとジュリエット」
シャリ、

どよっ
どす
どす
ごくっ
ボリ…
どんっ

ねえ…
音《おと》は!?
いつになったら音楽《おんがく》が……
ヒソ…
しっ
あ
カチャーン
ひやっ
ぷ

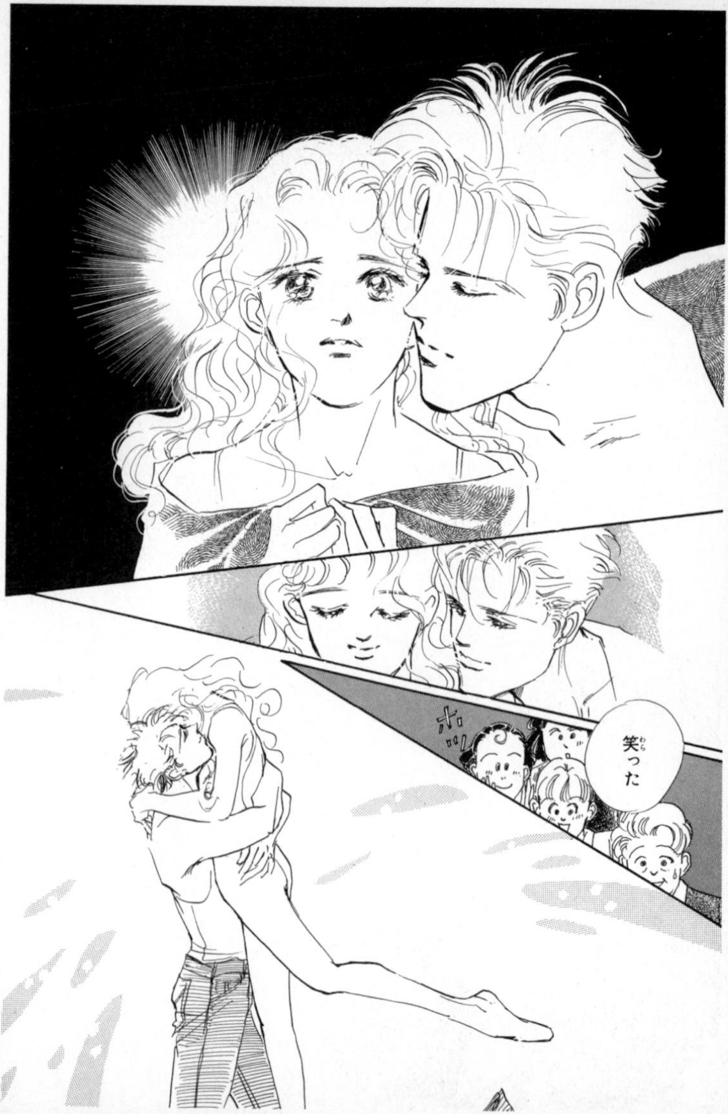
笑《わら》った
ホッ

愛《あい》ってヤツの真実《しんじつ》とシークレットを
教《おし》えてくれたのは　おまえ

そりゃ嘘《うそ》もついてきたさ
言葉《ことば》じゃ うまく伝《つた》えられなくても
メロディをきけば
おまえを愛《あい》してるからだってことが
わかるはず

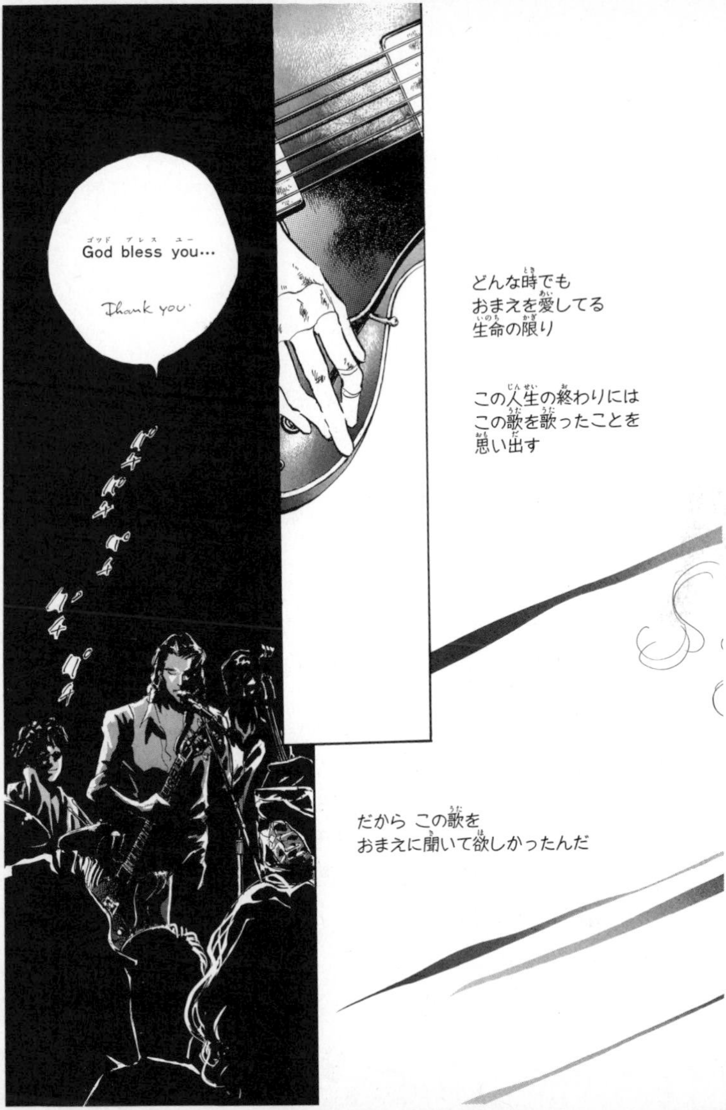
どんな時《とき》でも
おまえを愛《あい》してる
生命《いのち》の限《かぎ》り
この人生《じんせい》の終《お》わりには
この歌《うた》を歌《うた》ったことを
思《おも》い出《だ》す
God bless you《ゴッド ブレス ユー》…
Thank you
パチパチパチ
パチパチ
だから この歌《うた》を
おまえに聞《き》いて欲《ほ》しかったんだ

慎之介《しんのすけ》って
不器用《ぶきよう》なヤツ
大《おお》バカよ あいつ
あーーあたしなら
絶対《ぜったい》あんなふうに
歌《うた》わせたり
しないっっ
パクパクパク
がんばんな
パチパチ
おばあちゃん
楽屋《がくや》行きましょう
楽屋《がくや》！
パチパチ
やったっ!!
これで視聴率《しちょうりつ》もらいっ
オレの昇進《しょうしん》もっ
じーーん
曲《きょく》がないなんてっ!!
こんなのバレエじゃ
ないわよっ
ね？ レイコさん？
あら？
これ以上《いじょう》
観《み》る必要《ひつよう》ないわ
一位《いちい》は内藤千穂《ないとうちほ》よ

God Bless You 完

うさぎ

可愛《かわい》くん…好《す》き
うん
あああ 満月《まんげつ》やゆうて 血迷《ちまよ》おてからに
バイ♡またネ
このボケガオ!
オヤジッ
いいかげんに このツリー 片付《かたづ》けてよ
松《まつ》かざりもツリーも 一緒《いっしょ》なんて 友達《ともだち》に見《み》られたら はずかしいだろ!?
キスしくさったくらいで のぼせとる おまえのほうが ごっつうはずかしいわ

うさぎ

USAGI

子供《こども》たちにうけるんだよなァ
そーかな
それより これ受付《うけつけ》に飾《かざ》ろうと思《おも》うんだが……
ご近所《きんじょ》の笑《わら》い者《もの》だよ!!
かわいい豚《ぶた》だな
え!?
ウサギじゃないのか?!
ただいま
バン!
女《おんな》はキスより性格《せいかく》で選《えら》べよ
切《き》れたあとでまとわりつかれるとめんどうだからな

むっすーあ
まとわりつかれて逃《に》げ回《まわ》って居留守《いるす》使《つか》わせたのは良兄《りょうにい》だろ!?
ほんまに この家《いえ》の男《おとこ》ゆうたらどいつもこいつもハンパ者《もん》でしゃーないでぇ
ガチャ
エラソーになにいってんだいっ
まぁた はじまりよった
!
おまえここのうちの子《こ》?

ねーちゃん
やああっ！
OTE!
頭《あたま》でっかちで
かわいいヤツ
もう
2月《がつ》
なのに
へんなうちね
ムッサイ
男《おとこ》ばっかりの
悪夢《あくむ》の館《やかた》
ですわっ
でも うれしい
こんな所《とこ》で
ツリーが
見《み》られて
あたし
クリスマスも
お正月《しょうがつ》も
やってなかったんだ

ツリーを見《み》てホッとできるって
幸《しあわ》せだよね
この女《おんな》顔《かお》は笑《わろ》うとるけど
泣《な》いとる
ホンマは
ピンポン♪
椿小児科

こちらに椿優作《つばきゆうさく》さんいらっしゃいますか？
優作《ゆうさく》は………
あれのお友達《ともだち》かなにかで……？
お父様《とうさま》ですね？
私《わたし》山田卯月《やまだうづき》と申《もう》します
優作《ゆうさく》さんの嫁《よめ》です

優作《ゆうさく》は……
あがってもらえよ
線香《せんこう》の1本《ぽん》もあげてもらえば?

まさか……
椿《つばき》優作《ゆうさく》は死《し》んだ
去年《きょねん》の12月《がつ》25日《にち》北山岳《きたやまだけ》馬込《まごめ》ルートで遭難《そうなん》した
どさっ
縁起《えんぎ》でもない！
死亡《しぼう》が確定《かくてい》した訳《わけ》じゃない優作《ゆうさく》は帰《かえ》ってくる
トン!!

今頃《いまごろ》は雪《ゆき》の中《なか》でゆっくり眠《ねむ》ってるさ
寒《さむ》かないだろ死《し》んでんだからな
夏《なつ》が来《き》て雪《ゆき》がとけるまで遺体《いたい》はきれいなままさ
良《りょう》!!
あれが……最後《さいご》だったのね
東山岳《ひがしやまだけ》の満月山荘《まんげつさんそう》で一緒《いっしょ》にすごして
優作《ゆうさく》さんはあしたはもっと高《たか》い北山岳《きたやまだけ》へ
私《わたし》はそこから下山《げざん》することになっていて
今度《こんど》は下界《げかい》で会《あ》おう
それまで毎晩《まいばん》ぼくは月《つき》を見《み》てきみを思《おも》い出《だ》すから——って

ぶぶーーッ
ロマンチストの優兄《ゆうにい》が言《い》いそうなセリフーーッ
幸《しあわ》せな奴《やつ》だよなァ やり放題《ほうだい》やって 結局《けっきょく》 足《あし》すべらせて 死《し》んじまってよ
悩《なや》みもなにもない奴《やつ》だったよなァ
ヒーッヒッヒッ
悩《なや》みがないはずないでしょ!?
ヒ…
優作《ゆうさく》さんは… とうとう最後《さいご》の家族《かぞく》をなくして ヤケになってた あたしを
自殺《じさつ》しようとしてた あたしの話《はなし》を 一晩中《ひとばんじゅう》 きいてくれて
きいて…

……
少《す》なくとも
あなたたちより
ずっと人間《にんげん》が
よくできてたわよ
むかっ
ポリ..
失礼《しつれい》します!!
ガチャッ
山田《やまだ》さん!
のぐちひでよ

どこへ行《い》くんだい？あてはあるの？
優作《ゆうさく》をたよって来《き》たんじゃないのかい？
また死《し》にたいなんてバカな気《き》おこしてるんじゃないだろうね
優作《ゆうさく》が帰《かえ》ってくるまで……ここにいないか
雪《ゆき》が解《と》けるまで
ここにいてくれんか

葬式《そうしき》をあげて
あきらめがつくまで
おやじっ
わしを
お義父《とう》さんと
呼《よ》んでくれんか

しょせん人間《にんげん》も
ただの動物《どうぶつ》や
満月《まんげつ》の夜《よる》は
気《き》ィふれるらしい
冗談《じょうだん》じゃねえよ

あああ
安《やす》もんのドラマ
しよってからに
まあ この家《いえ》に
ねーちゃんがはいるのは
えーこっちゃ
のぐちひでよ
オレのエサも
上等《じょうとう》になるやろ

ギン
ギンギン
おはよう…
可愛《かわい》くん
起《お》きないと
遅刻《ちこく》するわよ
おはよう
義姉《ねえ》さん

ふっ
ふっふっふ
ふ
ドタ ドタ
ドタ ドタ
ドタ
くそ――
くそくそくそ
ハッ
おはようっ

おう
メシか
パンか?
やっぱし
ガクッ
牛乳《ぎゅうにゅう》でいい
チーズも
食《く》ってけよ
ねち
ねち
ねち
あいつは?
卯月《うづき》ちゃんか?
疲《つか》れてんだろう
寝《ね》かしといてやれ
ふうん

シャワー使《つか》っていい？
なにか着《き》ろよだらしねーーな
……
行《い》ってきます

ごめんね
無神経《むしんけい》で
風邪《かぜ》ひくだろ
それに ここは子供《こども》の病院《びょういん》……
お手洗
ピンポーン
ガチャッ
すみません 先生《せんせい》いらっしゃいますか?
オヤジ 健太《けんた》がまた熱《ねつ》出《だ》して鼻水《はなみず》たらしてっぞ!

お――早《はや》いな
おじじはまだ朝《あさ》メシだぞ
なっとごはん
すみません お食事中《しょくじちゅう》に…きのうの夕方《ゆうがた》から急《きゅう》に熱《ねつ》が
どうした健太《けんた》
頭《あたま》いてえんだ
それでも走《はし》ってきたのか元気《げんき》だな
頭《あたま》が痛《いて》えのはゆううつだけど
ゆーつだ
じじ あいつ だれ?

ウサギだよ
きのう満月《まんげつ》だったろ
月《つき》から降《お》りてうちにきたんだ
色《いろ》が白《しろ》いだろ目《め》も赤《あか》いし
ウサギ語《ご》しゃべるぞ
食欲《しょくよく》はどうですか
今朝《けさ》はよく食《た》べませんでした
タッ
タッ

じっ……
びくっっ
ママ
あいつ
へんなヤツ
クックック
こらっ
へんなやつ
へんなやつ
へーんな
すみません
ピンポーン
ピンポーン
ピンポーン

お────
どうした
どうした
お母《かあ》さん
もっと早《はや》く
つれてこなきゃ
ダメだよ
めまいする〜〜〜〜
熱《ねつ》が下《さ》がらなくて
すご〜〜〜い
患者《かんじゃ》さんが
たえない〜〜っ
椿先生《つばきせんせい》は
ここで開業《かいぎょう》して
30年《ねん》ですから
もう親子《おやこ》2代《だい》
みてるって方《かた》も
いますよ
親《おや》には
きびしいですけど
子供《こども》には
人気《にんき》があってね
飯島《いいじま》さん
お薬《くすり》できましたよ
お義父《とう》さんて
名医《めいい》なのね
トン

優作《ゆうさく》さんと お義父《とう》さんて 似《に》てる……
あれに この医院《いいん》を ついでもらうのが 夢《ゆめ》だったよ
人《ひと》と同《おな》じ夢《ゆめ》を 見《み》られたら 幸《しあわ》せかしら？
……
ホラ 夜見る 夢って
自分ひとりしか 見られないじゃない
優作《ゆうさく》にとっては この医院《いいん》をつぐのは プレッシャー だったかも しれんな
そんなことは きいたことない
そうか？
うん
カタ…

おやじ オレ 今夜《こんや》 当直《とうちょく》だから 帰《かえ》りは昼《ひる》ね
良《りょう》さんも 小児科医《しょうにかい》 なの? すご——い 一族《いちぞく》みんな……
オレは 外科《げか》 ガキなんて 大《だい》っキライ!!
わあっじゃあ 良《りょう》さんが この医院《いいん》 やってくれたら 内科《ないか》も外科《げか》も O.K《オーケー》じゃん!
人《ひと》がよすぎて もうけの少《すく》ない 開業医《かいぎょうい》なんて まっぴらだね
先生ちょっと
はい はい

良《りょう》さんが開業《かいぎょう》したら奥《おく》さんたちがほっとかないのになぁ
きみはお人《ひと》よしにつけこむのがうまいけど
その手《て》はぼくには通用《つうよう》しないよ
きみがここに居《い》すわる目的《もくてき》はなんだい？
財産《ざいさん》めあてならごらんの通《とお》りなにもないよオヤジは金《かね》もうけがヘタだからな
それともセンチメンタリズム？
くだらない！
でも女《おんな》ってやつはそういうものなのか？
なんにしろぼくはだまされないよ

気《き》にいらないかもしれないけどお嫁《よめ》にきたのは
バターン
だれも優兄《ゆうにい》からそんな話《はなし》はきいてなかったがね
感激《かんげき》・・・ッ

可愛《かわい》クンて
依子《よりこ》のこと
なんでも
わかってるみたい
このフレーム
すごくほしかったの
ありがとう
でもなんで
急《きゅう》に？
きのう
依子《よりこ》がはじめて
KISS《キス》してくれた
記念日《きねんび》だから
ボッ
ダメッ
ママが
見《み》てる！
これから毎晩《まいばん》
月《つき》を見《み》たら
ぼくはきみを思《おも》ってる
――って
覚《おぼ》えてて
可愛《かわい》くん
急《きゅう》に家《いえ》に
おしかけて
ごめんね
決まったッ

ピ〜ポ ピ〜ポ
ジリリリリリリン!
はい 当直《とうちょく》
椿先生《つばきせんせい》 お願《ねが》いします 交通事故《こうつうじこ》です
はい
ガラガラガラガラ

おばさん
おばさん
きこえる!?
聞《き》こえますか？
返事《へんじ》して
手《て》を握《にぎ》って！
手術中
わかる？
今《いま》つねってるよ
痛《いた》い？
RH+A《アールエイチプラスエー》型《がた》です
返事《へんじ》して！
私《わたし》の指《ゆび》が
見《み》えますか？
レントゲン
腰《こし》も撮《と》って
整形《せいけい》の
高橋先生《たかはしせんせい》
呼《よ》んで
はい
上《うえ》90
下《した》55です

肋骨《ろっこつ》ぶっすりささってますなーこりゃー
おいおいトーフを切《き》るんじゃないんだぞ
あっっすみませんっ
血圧《けつあつ》もち直《なお》してきました
カチャーン!
なん度《ど》おなじことを言《い》わせるんだっ!!

しっかりなさい 患者《かんじゃ》さんは 助《たす》かったんだから
泣《な》くこと ないのよ？ ね？
……っく……
ヒソ ヒソ
椿先生《つばきせんせい》は 特別《とくべつ》よ
超《ちょう》イヂワル！
自分《じぶん》が完璧《かんぺき》だと 思《おも》ってるから 人《ひと》への要求《ようきゅう》が キツいのよ
ナースステーション
特《とく》に手術着《しゅじゅつぎ》 着《き》てると こわくてサァ ニラまれると
ふだんなんでも ないことでも 失敗《しっぱい》しちゃう
あああ 小児科《しょうにか》にいた お兄《にい》さんとは 大《おお》ちがいっ
優作《ゆうさく》ちゃんか 世《よ》の中《なか》こんなもんよね 優作《ゆうさく》ちゃんみたいな やさしい人《ひと》が 早死《はやじ》にしてサ
弟《おとうと》のほうなんて ガケから おちても 自分《じぶん》で傷口《きずぐち》ぬって 生《い》きて帰《かえ》りそう！

あいつならそれくらいやるわよ
きゃははは
おっ
椿先生《つばきせんせい》今夜《こんや》は静《しず》かだね
ええまだ救急《きゅうきゅう》2件《けん》ですから
小児科《しょうにか》——どうですか？
うん 優作《ゆうさく》の抜《ぬ》けた穴《あな》はでかいや
子供《ガキ》がブーブー泣《な》きくさる

看護婦《かんごふ》も2〜3人《にん》やめたよ
いい子《こ》ばっかりだったんだがしんどい仕事《しごと》だからな
優作《ゆうさく》がいなくなって頑張《がんば》る支《ささ》えがなくなっちゃったんだろうな
そーいう医者《いしゃ》だったよおまえの兄《にい》さんは
ピーポ〜ピ〜ポ〜
月《つき》がきれいだぞ
ええ

うう〜〜っ
〜〜〜ったく
あの女《おんな》〜〜〜
デリカチー
ちゅーもんが
皆無《かいむ》だっっ
ヤダ
ヤダ
ヤダッ
それに比《くら》べて
依子《よりこ》の
かわいいこと
ふふ
洗面所《せんめんじょ》
使《つか》うねー
ガチャ
げえっ!?
カチャ
中《なか》に入《はい》りゃ
しないわよ!
う?!
ギャあああっっ

オレは
女《おんな》とくらした免疫《めんえき》がないんだよ失望《しつぼう》させないでよッ
子供《こども》みたい甘《あま》ったれ〜〜〜
なにが・・・させないでよ
失望《しつぼう》すれば？そこからはいあがってこそ男《おとこ》の子《こ》じゃない
こんなもんすぐ見慣《みな》れるってば
ホレホレ
わあああっ
あくま〜〜
のぐち〜〜あの女ひでぇよ
…すん

お母《かあ》さんの
思《おも》い出《で》
あんまりないんだ
………
オレを生《う》んだ
せいで
死《し》んじまった
——といっても
過言《かごん》では
ないでしょー
ぷっ
なんで笑《わら》うんだよ
なにが
おかしいんだよっ
失礼《しつれい》な……
だって
だって
可愛《かわい》くんて
コンプレックス
だらけで！
アハハハ

私《わたし》が可愛《かわい》くんのお母《かあ》さんなら
そんなふうに息子《むすこ》に言《い》われつづけたら
悲《かな》しくて成仏《じょうぶつ》できない
お母《かあ》さんは可愛《かわい》くんのせいで死《し》んだなんて絶対《ぜったい》思《おも》ってない
絶対《ぜったい》——

姉《ねえ》さん風《かぜ》
ふかせるなよ
夜食《やしょく》
つくったげる
イラナイッ
早くっ
ちえっ
あ〜あ
えーよーに
あやつられ
よって
しかたねーな
女《おんな》にはやさしく
――ってのが
オレのモットーと
するところだしな
兄嫁《あによめ》にも
ガールフレンド
にも
やさしいオレ！
くーっ
くっくっ
どあほ

なんだよ
カップラーメンかよっ
そだよ
なに期待《きたい》してんの？
ギャハハハ
ラ
ふたりで食《た》べればおいしいでしょ？
ララ…
ルン
ルルン♡

……………
あ！ おまたせ もうおわったから きょう デートなもんで
お義父《とう》さーん 良《りょう》さーん 可愛《かわい》くーん ごはんよーー
はーい
あんまり
あの女《おんな》に 気《き》を許《ゆる》すなよ
サラッ…
なに？ ぼくが うさぎに 夜食《やしょく》 つくって もらったから やいてんの？
・・・・

ふぁん？ ごふぁん？
おはよう
プルルルル…
可愛《かわい》女《おんな》の子《こ》から
あっ
依子《よりこ》ォ？ おはよー
え〜っ!? ダメ!?
カゼーッ!?
じゃっおっ お見舞《みま》いに いくよ
TODAY'S DATE
待ちあわせ 渋谷・モヤイ
お茶
散歩
ショッピング
映画
散歩
キス
イヤッ
お肌《はだ》がボロボロで まぶたがはれてるし こんな顔《かお》 可愛《かわい》くんに 見《み》られたくないっ
かわいいっ！

きょうは せいぜい うさぎと 楽《たの》しめよ
ニッ
いってらっしゃい
むす…
保健所《ほけんじょ》の 健康相談《けんこうそうだん》 だから 4時《じ》頃《ごろ》戻《もど》るよ
は――い
ホラホラ じゃまだってば あっちいきな医大生《いだいせい》! きたない部屋《へや》だなー
わあぁん
やめろよー けるなよー やさしく しろよ ――っ
どこんちの ママだって こんなだよー
ブオオオ
ブオオオ
フン

うさぎ——っ
友達《ともだち》んとこ
行《い》ってくる
ね——
シ——ン
おいしょ
買《か》い物《もの》
かしら
可愛《かわい》くーん
どこいくの
——?
—え?

なにしてんだよ
そんなとこで!!
おいでよ
ビール
おいしいよ!
築《ちく》30年《ねん》なんだから
のぼっちゃダメだよ
こわれるから
山《やま》が
見《み》えるわよ
優作《ゆうさく》さんの
いる山《やま》が!
・・・・・
うそつき

優兄《ゆうにい》――
生《い》きてると
思《おも》う？
ダメだろうな
あの沢《さわ》に落《お》ちたら
まずね………
だけど
そんな気《き》に
なれない
死《し》んでる
優作《ゆうさく》さんを
見《み》てないから
かな……
オレも…
今《いま》にでも
あの角《かど》曲《ま》がって
猫背《ねこぜ》ガニマタで
ひょいひょい
歩《ある》ってきそうな
気《き》ィする
かな
時々
口をパカーンて
あけたまま
考えごとして
ほとんど
バカに見えるよな
あれ！
あ

健《けん》太《た》のお母《かあ》…
さ…
ハァハァッ
ハァ
ハァッ
健《けん》太《た》
どうしたの!?
ハッ

私《わたし》が目《め》をはなしたスキに
ブランコから…!!
助《たす》けて!
サッ

ここに寝《ね》かせて
先生《せんせい》は？
可愛《かわい》くん
救急車《きゅうきゅうしゃ》呼《よ》んで
うんっ
先生《せんせい》はいないの!?
お母《かあ》さん！
健太《けんた》くんの
口《くち》の中《なか》を
ふいてください
1 1 9
くそっ
しっかりしろ
うさぎよ
返事《へんじ》して!!
健太《けんた》くん
わかる？
見《み》える？
うー
どこが
痛《いた》い？

手《て》……
こっちの腕《うで》ね
他《ほか》には?
目《め》も…
今《いま》ふいてあげる
お母《かあ》さん
意識《いしき》はあるから!
絶対大丈夫《ぜったいだいじょうぶ》ですから
しっかりしてくださいね
はい
腕《うで》が折《お》れてます
止血《しけつ》して
固定《こてい》しますから
おさえてください
はい!
健太《けんた》くん
ちょっと
がまんしてね
わああああん

サインペン
ちょうだい
太《ふと》いやつ
あ?
ガチャン!
健太《けんた》くん
すぐ病院《びょういん》行《い》く
からね
うちの
お兄《にい》ちゃん先生《せんせい》が
治《なお》してくれる
からね
うん
ピ〜ポ〜ピ〜ポ〜
止血 3:20
ピ〜ポ〜ピ〜ポ〜

ハァ……
プルルルッ…プルルルッ
はい
椿《つばき》です
可愛《かわい》──!!
なにしてんだよォ
もうみんな
集《あつ》まってるゾー
ガチャン
オレ……
医大生《いだいせい》
なのに……

足《あし》がふるえて……どうしたらいいのか
ううん
健太《けんた》の顔《かお》さえ……こわくて見《み》られなかった
だれだって最初《さいしょ》はそうよ
脳波《のうは》も異常《いじょう》ありませんし
単純骨折《たんじゅんこっせつ》ですから心配《しんぱい》はなにもいりませんよ
ほんとうにありがとうございましたなにからなにまで
ちょっとおききしたいんですが…

あの 応急処置《おうきゅうしょち》は 弟《おとうと》が？
いえ 女医《じょい》さんが やってくださいました
？
この前《まえ》から いらっしゃる うさぎ先生《せんせい》――って おっしゃるんですか？
看護婦《かんごふ》――か
は？
あいや
小児科《しょうにか》へ 行《い》ってくる
はぁ
ねえ今《いま》 椿先生《つばきせんせい》 笑《わら》って なかった？
てた！ はじめて見た こわかった

ザアアア……
本名《ほんみょう》 田島卯月《たじまうづき》 札南看護学校出身《さつなんかんごがっこうしゅっしん》 平成《へいせい》2年《ねん》から 里見大学病院《さとみだいがくびょういん》 小児科《しょうにか》に勤務《きんむ》 去年《きょねん》12月《がつ》20日《か》 一身上《いっしんじょう》の都合《つごう》で 退職《たいしょく》
なかなか優秀《ゆうしゅう》で 評判《ひょうばん》のいい ナースだった ようだね
パシャ
ご両親《りょうしん》も ご健在《けんざい》のようだ ——
さあ なんのための ウソの数々《かずかず》だか 教《おし》えて もらおうか
——復讐《ふくしゅう》——

!?
みんなに愛《あい》される優作《ゆうさく》ちゃん
私《わたし》を傷《きず》つけた優作《ゆうさく》ちゃん
勝手《かって》なことやってさっさと死《し》んじゃった幸《しあわ》せな優作《ゆうさく》ちゃん
あなたと同《おな》じよ優作《ゆうさく》ちゃんをきらう理由《りゆう》は！
それにあたし可愛《かわい》くんもお義父《とう》さんも好《す》きになっちゃった
だからこの家《いえ》に居《い》すわることに決《き》めた！
おいっ
おはようございます
お義父《とう》さんやっと決心《けっしん》しました
あたし優作《ゆうさく》さんの子供《こども》を生《う》みます!!

がちゃん
いただきマス♡
こりゃあかん

優作《ゆうさく》の子供《こども》――
優作です!
行《い》ってきます
いってらっしゃい!
バン!!
優兄《ゆうにい》の……

うさぎは生《う》む気《き》なんだ
焼のり
のり食《く》うか？
あ…
はい
ぼーーっ
すげえ
すごすぎだよ
女《おんな》って

?
依子《よりこ》――
だんな いなくても
ひとりで赤《あか》ン坊《ぼう》
生《う》む?
!?
なによ
それっ
あ ごめん
うちの義姉《ねえ》さん
のこと
死《し》んだ兄貴《あにき》の
子供《こども》がさ
すっすごいっ
でも私《わたし》には
わかんない
はは
依子《よりこ》には
まだ
刺激《しげき》ありすぎの
話題《わだい》でした
可愛《かわい》――っ
はじめるぞ――
終《お》わったら
送《おく》ってくから
まっててね

だあーーっ
でれ〜
だあ だあっだ
おーー よしよし
くしんっ
先生《せんせい》？
はっ
くちんっ
風邪《かぜ》でしょーか
はは。。
ただの風邪《かぜ》ですよ シロップを出《だ》しましょう
ただ今《いま》ーーっ

白菜《はくさい》の安売《やすう》り
してたから
買《か》ってきちゃった
こらっ
重《おも》いもの
持《も》っちゃ
いかん!!
バタ
バタ
バタ
平気《へいき》ですってば
病院《びょういん》できたえた
体《からだ》ですから
白菜《はくさい》つけたら
診察《しんさつ》の
お手伝《てつだ》いします
ヒマだし
そんなこと
しなくていい!
卯月《うづき》さん……

ありがとう 感謝《かんしゃ》しとる
生《い》きてゆく 勇気《ゆうき》が また出《で》てきたよ
だから 大切《たいせつ》に してくれ
うん
卯月《うづき》ちゃんに うちの養女《ようじょ》に なってもらうって いうのは どうかな
優作《ゆうさく》の子《こ》も 安心《あんしん》して 育《そだ》てられるし いいアイディアだと 思《おも》うんだけどな

ガサッ
言《い》いたかないが
なぁんて平和《へいわ》な
ボケ頭《あたま》
なんですか
ズキズキズキ
本当《ほんとう》に
妊娠《にんしん》してるか
どうか
調《しら》べたんですか？
生《う》まれたとしても
その子《こ》が
優兄《ゆうにい》の子《こ》か
どうかなんて
わかったもんじゃ
ないんですよ
おまえの頭《あたま》は
悪魔《あくま》のようだな
なんでもかんでも
うたがって
悪《わる》く言《い》って
かかる
頼《たの》むから
冷静《れいせい》になって
くださいと
言《い》ってるんです
いったい
だれが その子《こ》の
養育費《よういくひ》を
出《だ》すんです
おやじが？
それとも
オレと可愛《かわい》が？
冗談《じょうだん》じゃない
なにを好《す》き好《この》んで
他人《たにん》の子《こ》を
他人《たにん》の子《こ》
じゃない!!

ガチャッ
一番《いちばん》かわいい優作《ゆうさく》の子供《こども》——か
ぼくは できれば生《う》んでほしくないぐらいですけどね
コホ…
あなたのお世話《せわ》になろうとは思《おも》ってないから

めいわくがられたって平気《へいき》！
そんな弱虫《よわむし》じゃないもの
パタン
立派《りっぱ》な優作《ゆうさく》2号《ごう》を生《う》んじゃうわ
熊《くま》川さん レントゲンの時間《じかん》です
はーい
パタパタパタ
ピッ
ピッ
松浦《まつうら》さん まだ歩《ある》いちゃダメよ！
ポッ
ポッ
田島卯月 実家
011-222-21X0
トゥルルル…
トゥルルル…

カチャッ
はい伊藤《いとう》でございます
？
あ
東京《とうきょう》の里見病院《さとみびょういん》の椿《つばき》と申《もう》しますが田島卯月《たじまうづき》さんのお母様《かあさま》ですか？
卯月《うづき》がどうかしたんですか？病院《びょういん》？病気《びょうき》ですか？
いえ……あの上司《じょうし》の椿《つばき》と申《もう》しますが看護婦《かんごふ》の卯月《うづき》さんは……
ええ!?卯月《うづき》ちゃん看護婦《かんごふ》さんなんですか!?
？
？
？
私《わたし》は卯月《うづき》のおばです12歳《さい》から15歳《さい》まであずかってましたの
そのあとは全寮制《ぜんりょうせい》にはいっちゃいましたからよく知《し》らなくて元気《げんき》ですか？卯月《うづき》ちゃん

失礼《しつれい》ですが ご両親《りょうしん》は？
ああ 元気《げんき》ですよ それぞれ ちがう家庭《かてい》 持《も》ってます けどね
金《かね》は あるんですから ふたりとも 医者《いしゃ》ですし お医者《いしゃ》さんて ホラ
あら失礼《しつれい》 あなたも お医者《いしゃ》さん だったわね
ホホホッ
あ 両親《りょうしん》の 連絡先《れんらくさき》は お教《おし》えしますわ
北海道《ほっかいどう》では 名《な》の通《とお》った 医者《いしゃ》ですのよ
いえ
卯月《うづき》ちゃんだって 考《かんが》えようによっては ふたつも豪勢《ごうせい》な家《いえ》が あるようなもんなのに
どっちにも 寄《よ》りつかず うちになんか きちゃって うちは普通《ふつう》の サラリーマンですよ
まあ めいわくって 言《い》えば めいわくでしたわね
昔《むかし》の話《はなし》ですけど
失礼《しつれい》します

めいわくがられ たって平気《へいき》よ
弱虫《よわむし》じゃないもん
良《りょう》……
良《りょう》ちゃん♡ 非番《ひばん》で休《やす》んでるのに すまんがね
きのうは どなってゴメンね
桜小学校《さくらしょうがっこう》の インフルエンザ接種《せっしゅ》 手伝《てつだ》ってくれんか
佐田医院《さたいいん》の三郎《さぶろう》が 草野球《くさやきゅう》で ねんざしやがった

ピンチヒッターで
むく…
だれか他《ほか》をあたってください
オレ注射《ちゅうしゃ》はヘタですから
そう言《い》わずにさ病院《びょういん》に内緒《ないしょ》で注射《ちゅうしゃ》の腕《うで》をあげられるぞ
100本練習《ぼんれんしゅう》できるぞ
な?!
な
ズキ
ズキ
……
3組《くみ》廊下《ろうか》でまっててくださいね
は――い
腕《うで》を出《だ》して! あいているほうの先生《せんせい》の所《ところ》にいってくださいね
わい
わい
保健室

ホイもうおわりだよ
痛《いた》くなかったろ?
…
ホラホラ
あっちの列《れつ》も
行きなさい
患者《かんじゃ》を
威嚇《いかく》するのが
良先生《りょうせんせい》の
スタイル?
こなきゃ
打《う》たなくて
すむ
オレは
ガキは
キラいだ

うそつき
本当《ほんとう》は小児科《しょうにか》になりたかったんでしょ？優作《ゆうさく》ちゃんみたいに
だからこわくて打《う》てないの泣《な》かれるのがこわいんだよね
ムカ
ガタ
そこからうしろこっちへきなさい！
ひえ〜〜っ
こんな顔《かお》してるけど腕《うで》はいいのよ
となりのヨボヨボじーさんより痛《いた》くないよ
ナヌ？
笑《わら》いなさいよ
ヒク…

保健室
はい 最後《さいご》のひとり おしまい!
じっ…
痛《いた》かった?
さっきの子《こ》 おませ 良先生《りょうせんせい》のこと 好《す》きなんだわ
はいタオル
ううん ありがとう 先生《せんせい》!
バイバーイ
バイバーイ
ありがとう

意外《いがい》――
血《ち》も涙《なみだ》も「ありがとう」の一言《ひとこと》もない看護婦《かんごふ》を人間《にんげん》あつかいしない外科《げか》のエース椿先生《つばきせんせい》
身辺《しんぺん》はいつも潔白《けっぱく》それは外科部長《げかぶちょう》のお嬢《じょう》さんをもらって将来《しょうらい》 里見病院《さとみびょういん》の実権《じっけん》を手《て》にするため
―ともっぱらのウワサよ
でも本当《ほんとう》はお父様《とうさま》のあとをついで小児科《しょうにか》をやりたい
無理《むり》しないでつげば？お父《とう》さん喜《よろこ》ぶわよ
・・・・・
オレはきみをどなりつけたことがあったのかな
え？

オレはボヤボヤした新米《しんまい》ナースはどなることにしてるからなそれできみのウラミを買《か》ったとか
まさか
オレの弱味《よわみ》をつかまえてからかうのはおもしろそうだな
でも残念《ざんねん》ながら
オレはウワサ通《どお》りの椿先生《つばきせんせい》だよ
政治的《せいじてき》な結婚《けっこん》も話《はなし》があればのるし金《かね》は大好《だいす》きだし人《ひと》の生命《せいめい》なんて薬《くすり》とメスしだいだと思《おも》ってるよ
気《き》が重《おも》いがこうなったらお人《ひと》よしの父《ちち》とバカな弟《おとうと》のめんどうも見《み》るよ
つめたいハートなんだ
クスクス
きみとどっこいだよ

きみの育《そだ》った境遇《きょうぐう》は
かわいそうだと
同情《どうじょう》してる
ひどい
オバさんだな
同情《どうじょう》なんか
されたくないわ
素直《すなお》じゃ
ないんだな
あなたにはね
正確《せいかく》で
完璧《かんぺき》で
100点《てん》で
有能《ゆうのう》だけど
人《ひと》への
さわり方《かた》を
知《し》らない
だれにも
愛《あい》されないわ

有能《ゆうのう》なだけで充分《じゅうぶん》だ
あ
チリリン！
キッ

うさ……

ひとりで泣《な》くなよ
泣《な》いてないよ
オールドファッション好き！
バニラクリーム
シナモンツイスト
きょうは依子《よりこ》ちゃんとデート？バンド？
オレだって学校《がっこう》ぐらい行《い》くよ
あ
わ
講義《こうぎ》なんだった？
寄生虫《きせいちゅう》
じゃあ夕飯《ゆうはん》は寄生虫《きせいちゅう》のようなおいしいうどんにしてやろう

ぐえっ
あぶないじゃないか
大事《だいじ》にしてよ
なにがおかしいんだよ
もおっ
アハハハハ
ごめん
ごめん

依子《よりこ》！

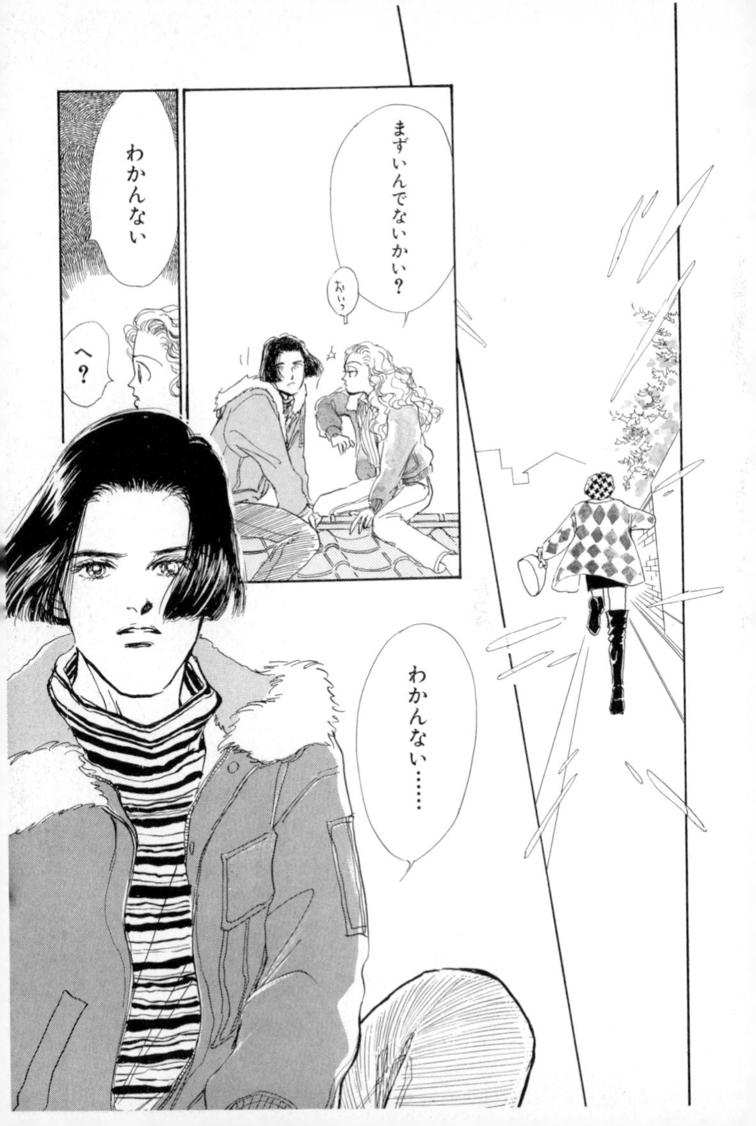
まずいんでないかい?
おいっ
わかんない
へ?
わかんない……

あんた……バカ?
ガッ
可愛《かわい》クン!
ちゃんとフォローのTEL《テル》しときなっ
うるせーなっ
のぐち〜〜〜
オレヘンかも〜〜〜
うさぎがまぶしいんだよ
あいつ血《ち》イ見《み》ても倒《たお》れないし
赤《あか》ン坊《ぼう》ひとりでも生《う》んじゃうとか言《い》うし
かなわないんだよな

うさぎの中《なか》は優兄《ゆうにい》でいっぱいなのかなー
ここんちはあの日《ひ》から優作《ゆうさく》ちゅう亡霊《ぼうれい》にとりつかれとるんや
ザワ
ザワ
あオレ可愛《かわい》か？
きょうは外《そと》で食《く》うから——うん

やっぱりモーツァルトはステキね
ピアニストはキーシンが好《す》き
きみは弾《ひ》くの？
はずかしいくらいヘタだけど
お料理《りょうり》のほうが好《す》きだわ
お教室《きょうしつ》にかよっているのよ この前《まえ》 家《いえ》で仔羊《こひつじ》のプロヴァンス風《ふう》ポテトリオネーズをつくったの
今度《こんど》良《りょう》さんもうちにいらして？
うん
仔羊《こひつじ》の……
プロヴァンス風《ふう》
どんっ
できたよっ

ミソ煮込《にこ》み闇《やみ》ナベだよ
カニ
ハム
ネギ
ベーコン
トーフ
キャベツ
ゴボウ
ジャガイモ
玉ねぎ
あーー冷蔵庫《れいぞうこ》がキレーになってうれしー
やきとり
セロリの葉っぱ
にんじん
レバー
うまいっ
良兄《りょうにい》のバカヤロー
今《いま》ごろ息《いき》もつまるよーなお高級《こうきゅう》なレストランで訳《わけ》のわかんねーもん食《く》ってお嬢《じょう》さんのご機嫌《きげん》とってんだぜ
ケッ
フロマージュは……
ロックフォール
クロタン・ド・シャビニョール
ピラミッド
ブリー・ド・モー
サンマルセラン、
ギャプロン
リヴァロ

カチャリ
おかえり
あ! ほっぺに
口紅《くちべに》ついてるよ
そんなドジ
ふむか
①よくふいた
②キスはまだ
どっちかなー?
どっちでもいーけど
ゲロ
そやそや
どついたれ
あーゆー
ええかっこしいの男《おとこ》は
好かんわ
ソウルちゅーもんが
ない

良《りょう》 おおきなお世話《せわ》かもしれんが前斉教授《ぜんざいきょうじゅ》にへつらうのはよせ
あれは人間《にんげん》としては下《げ》の部類《ぶるい》だ
おやじを里見大学病院《さとみだいがくびょういん》にむかえたいと言《い》ってくれてるよ
そろそろここを閉《し》めてもっと楽《らく》な勤務医《きんむい》になりませんかもう町医者《まちいしゃ》の時代《じだい》じゃない
ばか言《い》うんじゃない
おまえは勘《かん》ちがいしてる医者《いしゃ》は商売人《しょうばいにん》じゃないサラリーマンでもない
自分《じぶん》の理想《りそう》をオレにおしつけないでください

そういう問題《もんだい》じゃ…
おやじ
しっかりしてくれ
優兄《ゆうにい》は
死《し》んだんだ
オレは
優兄《ゆうにい》じゃないっ!!
死《し》んじゃいない

プルルルッ
いいかげんにしてくれ もうボケがはじまったのか
プルルルッ
親《おや》にむかっておまえは……!!
プルルルッ
はーーい こちら椿小児科《つばきしょうにか》
ただ今《いま》とりこみ中《ちゅう》です
往診《おうしん》はーー
えっ!?
ガコンッ

優兄《ゆうにい》の遺体《いたい》が見《み》つかった——
ガタ

むこうから TEL《テル》 いれるよ
まって あたしもつれていって
ダメだよ とばしたって 5時間《じかん》は かかるよ
平気《へいき》!
ガチャ

月《つき》が出《で》てれば走《はし》りやすいのに……
ヴオオオオ
ポツ
寝《ね》るオレ
起《お》きてたってどっしょもないし
戻《もど》ってきてからいろいろ忙《いそが》しいもんな
ポツ
ポツ
おやじッ

良《りょう》さん
前《まえ》の車《くるま》を
見《み》て!!

優作《ゆうさく》ちゃん
すごい先生《せんせい》だったわ 毎朝《まいあさ》 回診《かいしん》して 先生《せんせい》に子供《こども》たちが さわるたびに 元気《げんき》になってく みたいで
ゆるぎなくて そばにいるだけで だれでも安心《あんしん》して 落《お》ちついて 力《ちから》がわいてくるの
確《たし》かに そんな重大《じゅうだい》な 過失《かしつ》ではなかった ろうけど
私《わたし》の失敗《しっぱい》も やさしく きみのせいじゃない 力一杯《ちからいっぱい》やったんだから よしとしようって
自分《じぶん》を 許《ゆる》せなかったし 許《ゆる》してほしくは なかった

私《わたし》には どうあがいたって まねもできない 大《おお》きさと明《あか》るさと
お医者《いしゃ》さんとしての 理想《りそう》を 絵《え》にかいたような人《ひと》
遭難《そうなん》の知《し》らせを きいた時《とき》 「ホラ」と思《おも》ったわ
「ホラ あんまりいい人《ひと》すぎて みんなのうらみを 買《か》ったんだバカ」って
あたしの屈折《くっせつ》ぶりは 良《りょう》さんより ひどい

可愛《かわい》
可愛《かわい》……!
優兄《ゆうにい》
おかえり
心配《しんぱい》したんだぜ
どこいってたんだよおっ
早《はや》く遊《あそ》ぼうよ
ぼくが鬼《おに》でもいいから
カンケリしようよ

可愛《かわい》うさぎを頼《たの》む
ガバッ
ハァッ
ハァッ
ハァ……
サァァ……
ポツーーン
?
くそーっ
やっぱし雨《あま》もりしたじゃんかよ
屋根《やね》になんかのるなようさぎのヤロ——

連絡《れんらく》いただきました
東京《とうきょう》の椿《つばき》です
どうもおまちしておりました
おかけください
みつかったのはきのうの夕方《ゆうがた》でしてね
頭部《とうぶ》 顔面《がんめん》の損傷《そんしょう》がかなりひどくてご家族《かぞく》の方《かた》でもちょっと確認《かくにん》はむずかしいかもしれませんが
血液型《けつえきがた》 虫歯《むしば》の位置《いち》 背《せ》かっこうなど椿優作《つばきゆうさく》さんにほぼまちがいないということで――
奥《おく》さんはご覧《らん》にならないほうがよろしいかと……
霊安室
ガチャ…

ギクッ
バサ…
あっ

ダメですよ そんなっ こじあけたり しちゃ
うっ…
彼《かれ》は 外科医《げかい》です
ちがいます
兄《あに》では ありません
え?!

ギィ
前《まえ》に 山《やま》でやった 骨折《こっせつ》のあとも
子供《こども》の時《とき》 オレと一緒《いっしょ》に 階段《かいだん》から落《お》ちた 傷《きず》あとも なかった
おまわりさん びっくりしてたわ
優兄《ゆうにい》じゃ ないって 証拠《しょうこ》が 見《み》つかるまで
ひき肉《にく》になるまで だって きざんでやる ――って 思《おも》った
なんでメスを もってこな かったんだ ちくしょー ――ってさ
ギャハハハ
あ―― ノドかわいた なにか……

優兄《ゆうにい》ちゃんじゃなくって……
よかった……

そっか
人《ひと》ちがいか
ポッ
うん――
複雑《ふくざつ》な心境《しんきょう》だな
ザァァ…
え? おやじ?
おやじ――人《ひと》ちがいだってよ
ずっとベソかいてんだぜ 優兄《ゆうにい》じゃないってわかれば元気《げんき》が出《で》るさ
うん
じゃ帰《かえ》り道《みち》気《き》をつけて
ピチョン
でも夢まくらに出ちまったしなァ…
ピチョン
プツ
いつまで泣《な》いてんの――?

①意識《いしき》の確認《かくにん》
②気道《きどう》の確保《かくほ》
それから救急車だな
1
ぶるっ。
その1
よし
おやじ……
おやじ
きこえるか!

——ったく
「医者《いしゃ》の不養生《ふようじょう》」なんてかっこ悪《わる》すぎる!!
501
椿昭一様
血圧《ドウルツク》いくつだったと思《おも》いますか? きいただけで心臓《しんぞう》が止《と》まりますよ
もし脳《のう》に血栓《けっせん》でもあったら一発《いっぱつ》で破裂《はれつ》だ 今《いま》ごろあの世《よ》だ!
おこるなよ
おまえが担当医じゃないんだろ?
まあまあ
自分の血圧もコントロールできない医者…
とにかく精密検査《せいみつけんさ》1週間入院《しゅうかんにゅういん》!!

良《りょう》
おまえ
評判《ひょうばん》いいぞ
みんな
外科《げか》の椿《つばき》は
腕《うで》がいいいい
って
言《い》ってるぞ
そんなこと
知《し》らなかった
関心《かんしん》も
なかった
わしは
優作《ゆうさく》しか
見《み》てなかった……
そうやって
10年《ねん》も20年《ねん》も
おまえたちを
苦《くる》しめた
すまなかった
おまえたちは
自分《じぶん》が
ほんとうに
やりたい道《みち》に
進《すす》んでくれ
死《し》んだ優作《ゆうさく》も……
きっとそう
思《おも》ってる
だろう……
まずいな
ずい分
気弱だ…
優兄のおばけ
おやじのとこにも
出たのかな

オレ——— 本腰《ほんごし》いれて 勉強《べんきょう》しないと… 親《おや》も安心《あんしん》させたいし
Café
依子《よりこ》のこと きらいとか そういうんじゃ ないんだ

勝手《かって》ね……
わかってる
ごめん
なにも
わかってない
カタ…

USAGI

本日休診
お義父《とう》さんが休《やす》んでる間《あいだ》に重病《じゅうびょう》にかかる子《こ》がいないといいわね
急患《きゅうかん》は集英病院《しゅうえいびょういん》を紹介《しょうかい》しとけって
わかった
やっぱり朝はナットーだね♡
おはよう
休診《きゅうしん》の札《ふだ》はずせよ

良《りょう》さんが診《み》てくれるの!?
1週間《しゅうかん》だけ・・休暇《きゅうか》をとった
本日
え——? 1週間《しゅうかん》だけ——? ずっとやったら?
1週間《しゅうかん》だけでいいよ
ここはオレがつぐんだから
行《い》ってきます!!
ん?

良先生《りょうせんせい》が ここにいてくれれば お義父《とう》さん 安心《あんしん》する
うまく やれればね
相手はガキ・・・
小児診療の実際
やれる!
だって この前《まえ》とは 全然《ぜんぜん》ちがうじゃない
子供《こども》が怖《こわ》がるから 白衣《はくい》は ぬいだほうが いいわ
あ そう?
できれば メガネも
髪《かみ》も こんなに カタめないでサ
あとは 笑顔《えがお》ね
・・・

ニッ
問題はこれね……
子供《こども》はウソをつかないのうそ笑《わら》いはすぐ見抜《みぬ》くわ
だから心《こころ》から自然《しぜん》に笑《わら》って!
カタ……

ゾクゾクしまんな――
朝《あさ》っぱらから なんや 悪《わる》い予《よ》感《かん》が ビシビシでっせ――

のぐちってのぐちって
にーーっ
体《からだ》がカタイのね――――♡
こんなんじゃ猫《ねこ》みたいに高《たか》い所《ところ》にのぼったことないでしょ
ズズズッ
やめなはれ!!
オレは心《こころ》の広《ひろ》い犬《いぬ》やさかいおこらへんのやでえーかげんにしいや!
ガル…
フン新《あたら》しい世界《せかい》を見《み》せてやろうと思《おも》ったのに

しかたない
ひとりで
やるか
高《たか》いとこのぼって
喜《よろこ》ぶんは
アホとケムリだけやでーッ
淋《さび》しいちゅーて
ひとりで屋根《やね》のぼって
どないするっちゅーねん
フン

はい これで今夜《こんや》は 楽《らく》になるよ
うん
お母《かあ》さん 熱《ねつ》が出《で》るのは ヴィールスを やっつけるために 自然《しぜん》なことで そんな心配《しんぱい》は ないんですよ
はあ すみません 夜中《よなか》に……
薬《くすり》は症状《しょうじょう》を 楽《らく》にするだけです 病気《びょうき》は 治《なお》せません
きちんと 食《た》べさせて よく眠《ねむ》らせてください それしか 風邪《かぜ》の治《なお》し方《かた》は ありませんよ
は…
はい

お世話《せわ》になりました
おだいじに――――
ガチッ
なんだ そんなとこで
ん…… 茶《ちゃ》…する？
しつけない勉強《べんきょう》 すると眠《ねむ》くてサ
留年《りゅうねん》する わけにはいかないし
コポ コポ
大学《だいがく》でやった ことなんか 現場《げんば》じゃ なんの役《やく》にも 立《た》たないのにな
新米《しんまい》は まず 先輩看護婦《せんぱいかんごふ》の お姉《ねえ》さん方《がた》に いじめられるぞ

だから
なんだってのオレは今《いま》
この試《し》験《けん》
受《う》けるっきゃ
ないのよ
ふ……
そゆこと……
可愛くんも
すっかり大人ね
そろそろ
片《かた》づけなきゃな
消《け》しちゃうの？

それ
優作《ゆうさく》ちゃんが戻《もど》ってくるときの目《め》じるしなのに
こんなものなくってもオバケは出《で》るよ
けっこうみはらしがいい

さっきの患者《かんじゃ》さん良《りょう》さんのこといい先生《せんせい》ねって言《い》ってた
おじいちゃん先生《せんせい》もやさしいけどお兄《にい》ちゃん先生《せんせい》はきちんと説明《せつめい》してくれて安心《あんしん》するって
診察《しんさつ》ABC《エービーシー》のA《エー》だよ
オヤジは一体どーゆー診察してんだ
ここから見《み》えるのは優兄《ゆうにい》?
ふふ良《りょう》さんてロマンチストなんだ
いつもこうしてるの?ひとりで耐《た》えてるの?
朝起《あさお》きてきみの目《め》が赤《あか》いと心配《しんぱい》になる
夜中《よなか》じゅうひとりで泣《な》いてたんじゃないか
怖《こわ》い夢《ゆめ》を見《み》たんじゃないか——

理性的《りせいてき》で冷静《れいせい》で形《かたち》のないものなんか頭《あたま》から信《しん》じない良《りょう》さんが……面《めん》くらう
もっとあきれていいよ
優兄《ゆうにい》の赤《あか》ン坊《ぼう》——
オレが育《そだ》てる

オレじゃ
この子《こ》の父親《ちちおや》になれないか
夢《ゆめ》…？
夢《ゆめ》じゃないよ
じゃあオバケよ…
え？

優《ゆう》・・・

ガターン
ガチャーン
どしたの!?
ガラッ
な…っっ!
なに
やってんのっ!?

屋根《やね》の上《うえ》でこんな時間《じかん》にコソコソ
そーゆーことは外《そと》でやってよ外《そと》で
うしろ……っ
う？
ゆ………

優作《ゆうさく》……
ぐ
生《い》きてると
思《おも》ってた
絶対《ぜったい》!!
優作《ゆうさく》さん

……
うん……
ごめんな

わしが山《やま》で こいつを 拾《ひろ》った時《とき》は もうボロボロで
名前《なまえ》をきいても こっちに聞《き》きかえす ありさまでしたよ 頭《あたま》でも ぶっつけたん じゃろう
なぜすぐに 警察《けいさつ》に つき出《だ》して ……
遭難《そうなん》のニュースは いつも気《き》をつけてっから だいたい 見当《けんとう》は ついてたんですがね
まあしかし 少《すこ》しずつ 思《おも》い出《だ》して いるようで
…
本人《ほんにん》が イヤがったんですよ
ここへ返《かえ》しにきたのも ボソッと「帰《かえ》る」って 言《い》い出《だ》したから なんですよ
椿優作《つばきゆうさく》さんに まちがいありませんね

はい
じゃあな優作《ゆうさく》 雪《ゆき》がとけたら 遊《あそ》びにこいや ばーさんと まってるから
体《からだ》を大事《だいじ》にな 無茶《むちゃ》しちゃ いかんよ
……
ぐ……
大丈夫《だいじょうぶ》 ここがおまえの 本当《ほんとう》のうちなんだから
……

次男《じなん》の良《りょう》
でオレが三男《さんなん》の可愛《かわい》
優作《ゆうさく》の嫁《よめ》さんのうさぎ
うさぎのおなかには優兄《ゆうにい》の子《こ》がいるの！わかる!?
う……ん
くおりゃ──
死《し》んだよりタチが悪《わる》いぜ
バカ言《い》うな
ふとんしいた

へんな感《かん》じ
きのうまでもう優兄《ゆうにい》と一緒《いっしょ》の未来《みらい》はない——って思《おも》ってたのに
お部屋おぼえてる？
今夜《こんや》から優兄《ゆうにい》との過去《かこ》が消《き》えたってわけか……
人間《にんげん》ってカンタンにこわれちゃうんだな……
オヤジに知《し》らせなくていいの？
あしたにしよう血圧《けつあつ》が上《あ》がっちまう
げっそり…

おはよう ございます 椿《つばき》さん
おはよう 婦長《ふちょう》さん
どうですか? 朝《あさ》ごはんは?
うん うまかった
血圧《けつあつ》はかりますね
あら なにかしら この匂《にお》い ………
びくっ
勝手《かって》に 食《た》べものを 持《も》ちこんでは いけません
パック なっと
おしょうゆ 塩分《えんぶん》 御法度《ごはっと》ですよ!
コン コン

あら！
椿《つばき》先《せん》生《せい》
おはようございます
良《りょう》か
どうした
こんな早《はや》くから
いい知《し》らせが
なに？
160――
下《した》が80――と
まあまあね
といいたいところですが
悪《わる》い知《し》らせとも
言《い》える
え!?
どき
どき
どき
あら
170…180…
ガチャ…

優作《ゆうさく》!!
優作先生《ゆうさくせんせい》!?
ほんとに優作《ゆうさく》なのか今《いま》までどこにいたんだっ!!
わ
優《ゆう》……?
記憶喪失《きおくそうしつ》だって
あ?:
ゆら〜
これ以上《いじょう》刺激《しげき》しないでッ

毎日検査《まいにちけんさ》ぜめだよ 眼底《がんてい》シンチグラム 脳循環《のうじゅんかん》……
わかんないか……
医者《いしゃ》だったことも すっかり 忘《わす》れちまったか
でも そんなこと どうでもいい
生《い》きてて くれただけで……

内田《うちだ》さん お薬《くすり》が できました
内田一郎《うちだいちろう》さん 薬局《やっきょく》へ どうぞ
ところで そのかっこは なんなの？
可愛《かわい》くんに かりたの
ありがと……
ぷ……
こーやって 前《まえ》働《はたら》いてた ところを 客観的《きゃっかんてき》に みるのも 楽《たの》しいと思《おも》って
たしかに
自分《じぶん》が毎日《まいにち》 ドップリ つかってる世界《せかい》を 外《そと》から見《み》るのも いいかも
ねえねえ きいた!?

小児科《しょうにか》の 優作《ゆうさく》ちゃん 奇跡《きせき》の生還《せいかん》!!
さっき マルちゃんが 見《み》かけたって
えーーーっ
よかったーー よかったーー じゃあ 戻《もど》ってくるのね!?
ミカコ また アタックする~~!!
やっぱり小児科《しょうにか》は 優作《ゆうさく》ちゃんじゃなきゃ ダメよーー!!
三浦部長《みうらぶちょう》も ホッとしたんじゃ ない!?
いつ戻《もど》るのかな パーティー やろーか
カゲで悪口《わるぐち》 たたかれるより 面《めん》とむかって 期待《きたい》されるほうが しんどいかもな……
優兄《ゆうにい》に 同情《どうじょう》するよ
このまま 優兄《ゆうにい》の記憶《きおく》が 戻《もど》らなくても ――生《う》む?

良《りょう》さん……
プロポーズしてくれてありがとう
ごめんね
仕事しなさいっ
キャーーッ

なにか思い出した?
つかれた
良《りょう》さん
おくれてごめんなさい!

びっくりしたわ
急《きゅう》なんですもん
良《りょう》さん らしくないわ
でも うれしい
なにか食《く》おう
おまかせするわ
らっしゃーい
ぱちくり
カウンター あいてるよ
酒《さけ》
はいよっ
チューハイ

良《りょう》さんは よく いらっしゃるの こういう……
おまちっ
これ……
とくとく
肝臓《かんぞう》 ─
─ 鳥《とり》の 人《ひと》の肝臓《かんぞう》より いいよな
肝硬変《かんこうへん》の ヤツなんて ごちごちで 色《いろ》も悪《わる》くて まずそうだよ
え？
これは皮《かわ》 人《ひと》の皮切《かわき》るのは 案外《あんがい》 力《ちから》がいるんだ 最初《さいしょ》はほら 「人《ひと》」だと思《おも》うと 力《ちから》がはいらなくてね 苦労《くろう》したよ
この前《まえ》なんか ああこれ心臓《しんぞう》 動脈硬化《どうみゃくこうか》の 太《ふと》った患者《かんじゃ》でさ
脂肪《しぼう》のかたまりを かきわけて やっと胸《むね》を 開《あ》けたら
─ 中《なか》から
カタ…

私《わたし》……ちょっと……
あれ どうしたの？ 彼女《かのじょ》 帰《かえ》っちゃったの？
なんだ フラれたのかい 兄《にい》ちゃん
だめだよ 女《おんな》の子《こ》には やさしくしなきゃ
あの人《ひと》に やさしくしたのは きょうが 最初《さいしょ》で最後《さいご》だよ
へ!?
今《いま》までだれにも……

本気《ほんき》で触《ふ》れたことなんてなかったな——
ホラ 包《つつ》んだから もってきな
ごちそうさま
ガラッ
しけてんなァ 可愛《かわい》ちゃん
あたりまえだよ オレが生《う》まれてはじめてやる気《き》になったのに
ボケーッとした顔《かお》で突然《とつぜん》帰《かえ》ってきやがってよ
オレは結局《けっきょく》優良可《ゆうりょうか》の可愛《かわい》くんだよ
なにそれ
ケツ ビリ カス おまけってこと
club ツカパラ

可愛《かわい》くん!!
ザワ
ザワ
あ
みんなっ!
紹介《しょうかい》する
椿《つばき》可愛《かわい》くん
お医者《いしゃ》さん
目《め》ざしてるのよ
こんばんは
どもー
こっち
クラスの
友《とも》だち
でーーす
元気《げんき》?
まーー
ボチボチね
勉強《べんきょう》
大変《たいへん》なんでしょう?
少《すこ》し
やせた!?
きょうは
息《いき》ぬき?

……
あっ ごめんね
なんか うるさくって
でも あえて うれしくて
依子ーーっ
店かえるぞーーっ
今《いま》いくーーーっ
がんばってね カゼひかないで
ね!
オレ なんで依子《よりこ》と別《わか》れちゃったんだっけ………
バーカ
また さそえば?
そんな カッコ悪《わる》い こと できっかよ!
オレから ふったんだぜ!?

ダッ
優兄《ゆうにい》——
優兄《ゆうにい》は死《し》ぬために山《やま》にはいったんじゃないかな
ハァ
ハァ
ハァ
ハァ
ハァ
よしなさいベル!
え
オレが!?
ハァ
優兄《ゆうにい》は「いい人《ひと》」で「理想《りそう》の医者《いしゃ》」で
人《ひと》に頼《たの》まれたらNOとは言《い》えない性格《せいかく》につけこまれて病院《びょういん》にもオヤジにもナースにも患者《かんじゃ》にも——
いいだけ期待《きたい》されてた

つらかったんじゃ ないか——って
この間《あいだ》 思《おも》ったんだ
今《いま》までは 気《き》づかなかった オレ—— 優兄《ゆうにい》を憎《にく》んでたから
正反対《せいはんたい》に 生《い》きてやるって 思《おも》ってた
それは優兄《ゆうにい》に なりたい——ってのと 結局《けっきょく》 おなじこと だった
それやってたら ものの味《あじ》が しなくなってきて 自分《じぶん》のまん中《なか》が どんどん 冷《つめ》たくなって いくんだ……
これからは やりたい ことしか やらない
椿医院《つばきいいん》は オレがつぐ
優兄《ゆうにい》と うさぎの面倒《めんどう》も —— 見《み》させろよ
良さーん 優作さーん

健太《けんた》くんが退院《たいいん》してきたよ──
おまえ……まさか オレが死《し》んでた間《あいだ》に うさぎと……
プロポーズしたら ふられた それくらい許《ゆる》せよ
優児は死んでたんだから

あした お義父《とう》さん 退院《たいいん》よ
可愛《かわい》くんと 一緒《いっしょ》に むかえにいって くるね
お義父《とう》さんの 好《す》きな 納豆《なっとう》も――
あ…
優《ゆう》…
うさぎ
バカッ
赤《あか》ちゃん いるんだから ダメッ
ふーーん

不思議《ふしぎ》だよなァ 手《て》を握《にぎ》った おぼえも ないのに……
ドキッ
病院《びょういん》の屋上《おくじょう》で きみに ひっぱたかれた時《とき》 できたのかなァ
空気感染で 妊娠って 新しい…
おっ想《おも》い出《だ》したの? 優《ゆう》……
くら〜
バシッ
記憶喪失《きおくそうしつ》 なんかじゃ ないわね!?
うそつきは おたがいさま !

なぜ
この家《いえ》にいる
田島卯月《たじまうづき》
先生《せんせい》こそ
なんで……
卯月《うづき》
すぐ病棟《びょうとう》にきて!!
ミカちゃんの
容態《ようだい》が
急変《きゅうへん》したの!!
ご両親《りょうしん》に
連絡《れんらく》が
とれなくて

ああ……ご両親《りょうしん》 今《いま》旅行中《りょこうちゅう》……
ダメだ あきらめよう これまでだ
まって ミカちゃんの生《う》みのお母《かあ》さんに連絡《れんらく》します
2時間《じかん》―― もたせてください
ネオフィリン追加《ついか》して
はい
危篤《きとく》なんです! お母《かあ》さん
わかってます でも私《わたし》にはもう ミカの母親《ははおや》ヅラする資格《しかく》は……
会《あ》いたがってるんです きてやって!!
そんなんじゃないっ!
私《わたし》をせめないでください 今《いま》はこの家庭《かてい》を守《まも》るだけでせいいっぱいなんです
ミカのほんとのママはあの人《ひと》じゃないの……

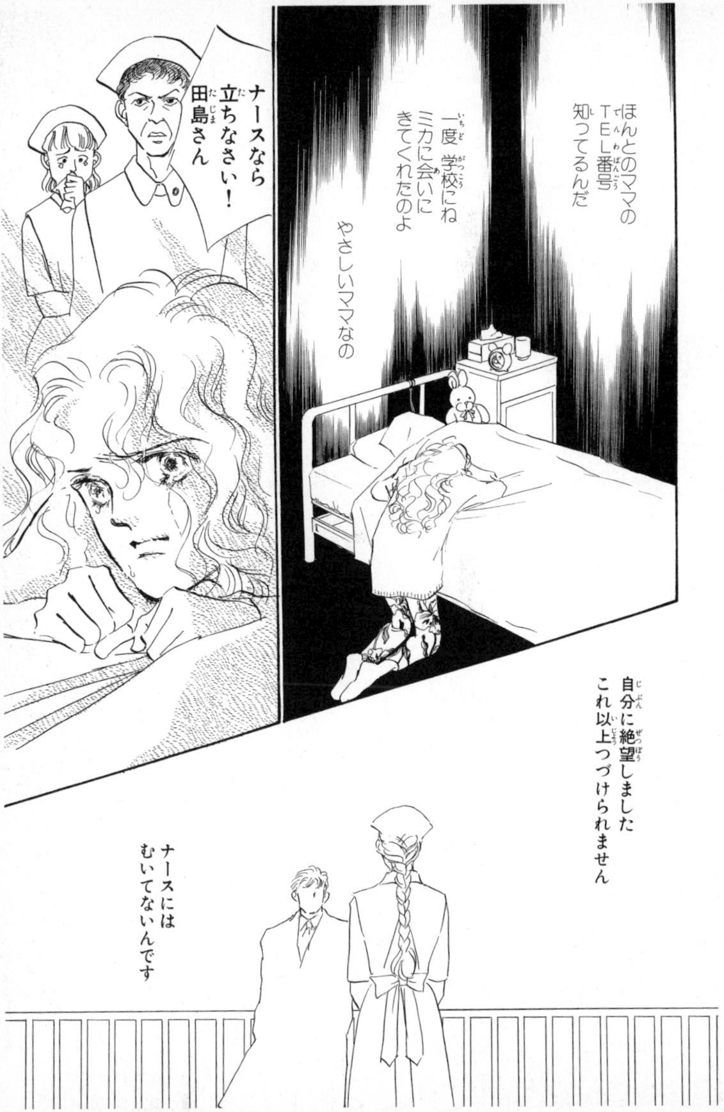

ほんとのママの TEL《でんわ》番号《ばんごう》 知《し》ってるんだ
一度《いちど》 学校《がっこう》にね ミカに会《あ》いに きてくれたのよ
やさしいママなの
ナースなら 立《た》ちなさい！ 田島《たじま》さん
自分《じぶん》に絶望《ぜつぼう》しました これ以上《いじょう》つづけられません
ナースには むいてないんです

オレたちにとって
死《し》は日常《にちじょう》だ
どこかで
おりあいをつけて
みんな
がんばってる
鈍感《どんかん》になれ
なんて言《い》わない
でも自分《じぶん》を
見失《みうしな》うな
ちがうか?
優作《ゆうさく》先生《せんせい》が
一番《いちばん》のクセものだわ
田島《たじま》
もうよせ
うそつき!

うそつき
辞表
オレは そのひとことで 決心《けっしん》したんだ ―
これ以上《いじょう》 周《まわ》りの人間《にんげん》も だませない
消《き》えよう
ケツまくって トンヅラしたんだ ―
オレは 気《き》が小《ちい》さくて 血《ち》がきらいで 死体《したい》が怖《こわ》くて
そのくせ えーかっこしいの 八方美人《はっぽうびじん》で ―

よかった…… 優作先生《ゆうさくせんせい》が ふつうの人《ひと》で……
あたし 田舎《いなか》に戻《もど》って 私《わたし》のことを わかってくれようとも しない親《おや》の いいなりになって
目《め》をつぶって 結婚《けっこん》しようと 思《おも》った……
自分《じぶん》がなにを しようとしているか わからなかった
気《き》がついたら 先生《せんせい》の家《いえ》の前《まえ》に 立《た》って ——
あったかい椿先生《つばきせんせい》を 育《そだ》てた あったかい家《いえ》
ぶっこわして やろう ——

だから大笑《おおわら》い しちゃった
現実《げんじつ》が怖《こわ》くて 夢《ゆめ》の中《なか》へ いっちゃったみたいな お義父《とう》さん
優作先生《ゆうさくせんせい》への コンプレックスで 自分《じぶん》を冷笑《れいしょう》する 良先生《りょうせんせい》
だけど ほんとは ちがった
自分《じぶん》の やりたいことも わかんない 可愛《かわい》くん
ぶっこわすまでもなく バラバラな家《いえ》
誤解《ごかい》しあってるだけ ぶつかることを さけてただけで
あったかい家《いえ》だった
「赤《あか》ン坊《ぼう》」なんて すぐバレる ウソついちゃって… しまったって思《おも》ったわ
だって1日《にち》1日《にち》 だんだん この家《いえ》が 好《す》きになってく……

ごめんなさい
お義父《とう》さんが戻《もど》ったら
私《わたし》――消《き》える――
里見《さとみ》病院《びょういん》の耳鼻科《じびか》を紹介《しょうかい》します――でも一般状態《いっぱんじょうたい》は良好《りょうこう》ですし
わきをしめるんだわきを
カズヤ！おとなしくしなっ
あしたの遠足《えんそく》は大丈夫《だいじょうぶ》ですよ
キャハハハ
すみません
椿《つばき》さん速達《そくたつ》です

ごくろうさん
おーーーい
優兄《ゆうにい》に……
海外派遣医師団《かいがいはけんいしだん》？
椿 優作 様
重要
おい良《りょう》
あのツリー
いつまで
飾《かざ》っとくんだ？
ーー記憶喪失《きおくそうしつ》のふりして
なに
企《たくら》んでんだよ

ばれたか
ピリ…
第一希望《だいいちきぼう》が通《とお》った
出発《しゅっぱつ》は4月《がつ》
アフリカ行《い》きだ
予定《よてい》は5年《ねん》だが
水《みず》があえば
そこで一生《いっしょう》ってことに
なるかもな
——つー訳《わけ》だから
やっぱりオレは
山《やま》で死《し》んだと思《おも》って
あきらめてくれや
キッ!
じいさんに世話《せわ》になって ずっと考《かんが》えてたんだ
オレ本当《ほんとう》に町《まち》の小児科医《しょうにかい》になりたかったのかしら もっとかっこいい医者《いしゃ》目《め》ざしてたのに
いつからこうなったんだろ ——ってさ
ああ オヤジに操《あやつ》られてただけだってな

どれだけ オレ達《たち》が 心配《しんぱい》したか……
そりゃそーだ 長男《ちょうなん》が死《し》んだら ここのあと つぐって めんどくさい役《やく》が 回《まわ》ってくるもんな
オレだって ヤだったよ 今《いま》どき 町医者《まちいしゃ》 なんてさ
うさぎは どうする気《き》だ ひとりで おいてくのか
あれは したたかな女《おんな》だ ひとりでだって 生《い》きていける
ふん!
おまえ ふられても あきらめきれない ようだな
欲《ほ》しけりゃ おまえに——

やめて
おまえみたいなてめー勝手《がって》なヤツにうさぎは渡《わた》さない！
ニへ。。。
はじめてなぐられた♪
そこまでゆーなら教《おし》えてやる
うさぎとオレはなんでもない赤《あか》ン坊《ぼう》なんてまっ赤《か》なウソ

おま・・・・
へえ
らっ
お・・
オヤジッ
救急車《きゅうきゅうしゃ》一丁《いっちょう》
おねがいします
ゆあああ

弓部《きゅうぶ》大動脈瘤《だいどうみゃくりゅう》
バイパス手術《しゅじゅつ》
手術室
執刀《しっとう》は中川先生《なかがわせんせい》
第一助手《だいいちじょしゅ》に
椿良先生《つばきりょうせんせい》——
中川先生《なかがわせんせい》
自分《じぶん》に執刀《しっとう》
させてください
良《りょう》！
オレもアシストに
いれろ！
極楽トンボに
助手なんかたのむか！
なにィ〜
……お手伝《てつだ》い
できることが
あれば
オレも
見学《けんがく》する
もーおっ死《ち》ぬかも
しれないんだろ
バカヤロー！
こんなオペ
盲腸レベルだ！
2人とも
自分を
過信してない？
ちょっと心配……

はい 左手《ひだりて》も
OK《オーケー》です
行《い》くぞ 良《りょう》!
オヤジの心臓《しんぞう》
おがませて
もらおーぜ
♪
オペが怖《こわ》いなんて
……
はじめてだ
ありがとう
あ……
はい
それが普通《ふつう》だ
普通じゃ
失敗するよーな
気がする
はじめます

よろしく お願《ねが》いします
オレまだ 血《ち》ィ見ると クラクラ するけど
絶対《ぜったい》 兄貴《あにき》たち みたいな 医者《いしゃ》になる
私《わたし》はずっと 人《ひと》に触《ふ》れたかった ……

人間《にんげん》の生命《せいめい》の
あまりの
はかなさを
まのあたりにして
それならせめて
心《こころ》だけは伝《つた》えたいと
思《おも》ったんです
人《ひと》から人《ひと》へ
伝《つた》わりつづけて
「思《おも》い」だけは
永遠《えいえん》の時間《じかん》を
生《い》きてゆけるから
でも その方法《ほうほう》が
わからずに
苦《くる》しんでいました
自分《じぶん》が一番《いちばん》
不幸《ふこう》なのではないかと
甘《あま》えていました
オペ終了《しゅうりょう》
パチ
パチ
パチ
パチ

あんな頑丈《がんじょう》な心臓《しんぞう》はじめて見《み》たあと50年《ねん》はもちそうだ
おつかれさまでした
アハハハ
ごくろーさん
うさぎは？
あれ？ずっと となりにいたけど
先《さき》帰《かえ》ったんじゃない？
のぐちバイバイ
お発《た》ちでっか？

元気《げんき》でね
泣《な》くこたあらへん
あんたはもう
大丈夫《だいじょうぶ》や
傷《きず》つくことが怖《こわ》くて
ぶつかることさえイヤで
顔《かお》で笑《わら》って
心《こころ》の中《なか》は
いつも怒《おこ》っていて
ずっと逃《に》げていました
逃《に》げたくせに
求《もと》めていました
満月《まんげつ》に
とびつこうとする
うさぎみたいに
あたたかい家《いえ》を
なぐりあいをしても
信《しん》じられる関係《かんけい》を

うさぎ!!
椿《つばき》家《け》のみんなに
教《おし》えられました
私《わたし》もぶつかってみます
ずっと昔《むかし》に
逃《に》げ出《だ》した所《ところ》へ
戻《もど》って
——一《いち》から
うそばかりつく
私《わたし》を——

信《しん》じてくれて ありがとう
さよなら
ばかな女《おんな》だよな——
ピポーン
ぐっぐっ
そーだよねぇ まず 良兄《りょうにい》に ぶつかればいいのに また逃《に》げちゃう なんてね——
ただいまー——
術後は順調だよー
ガタッ
優兄《ゆうにい》 オレ2～3日《にち》 家《いえ》あけるから

……
どこいくんだ
北海道《ほっかいどう》
?
オレもちょっと
女《おんな》にぶつかりに…
え?
いーけどさ早《はや》く帰《かえ》ってこいよな医院《いいん》だってあるしオヤジの看病《かんびょう》も…
ねえっうさぎは!?
人間《にんげん》ちゅーもんは欲深《よくぶか》でややこしゅうてしょーもない生《い》きもんでんなァ

どうして
ストレートで
ぶっとくて
パンチのある
生《い》き方《かた》がでけんのや
のぐちひでよ
ちょっとはオレを
見《み》ならえっちゅーんや
生《う》まれてしもたら
食《く》って寝《ね》て
あそんで恋《こい》して
死《し》んで　しまいや
それでえーのん
ちがうか？

うさぎ　完

「愛し続ける」才能

増島みどり（スポーツライター）

夏の早朝、モスクワ川に沿ってジョギングしていると、コリーが「お座り」しながら首をかしげているのが見えた。

遊ぼうと思い、犬の傍に近寄る。

すると木陰に日本製の、しかしかなり古いカセットレコーダーが置いてあり、コリーの目線を追うと、川をバックにした小高い芝生の上で女性が一人踊っていた。彼女は芝の上で薄いシューズを履いて、犬だけを観客にして踊り続ける。バレエにも、クラシックにも、ロシア語にも全てにおいてまったく無知であることが恥ずかしく、残念でもあったが、コリーと一緒にその姿を追い、早朝のレッスンをずっと見せてもらうことにした。

丘の上からゆったりと流れる川を挟んで、岸の反対にはロシアの旧建築物が見える。朝の陽射しの中で少しずつ増えていく車の往来や、人のざわめきなどすべて景色や音をバックにして、彼女は踊り続ける。近くでよく見ると身長は160センチほど、年齢は40代だろうか。何を踊っていたのかは分からないし、彼女の踊りのレベルも私にはまったく分からない。しかし軽快なリズムと柔らかな動きにひかれた。
トップ・アスリートたちの動きと同じである。手先を動かすにも、手は決して動かさない。体の中心の方から流れるように筋肉を働かせ、動きの波を伝達して行く。「スポーツにおける優雅さ」は恐らく、あらゆる肉体の動きに共通するのだろう。わずかな時間だったが、テープが終わると私は拍手をし、コリーは我慢していたお座りをようやく止めて、彼女の元へ走って行った。
ボリショイバレエの街である。彼女も団員なのか、だったのか、それとも怪我をして、バレエを断念し教えているのだろうか。様々な空想が思い浮かんでも言葉が通じない。もどかしい。分かったのは、毎朝踊っていること、近くのアパートメントに住んでいること、左手の薬指に結婚指輪があったこと、犬の名前がボリーだということだけであった。
この夏、モスクワで行なわれたIOC総会（国際オリンピック委員会）を取材した時に見た、この朝の風景は今も忘れられない。
そしてこのシーンを見たのとほぼ同じ時期に、不思議なほどのタイミングで槇村さとる氏の『God Bless You』の解説文を、という依頼を受けることになった。
2点で迷った。
ひとつは芸術オンチによる。

日ごろ、グラウンドやスタジアムや、或いは体育館といった実に騒々しく、雑然とした、バレエのような芸術とは無縁な場所で仕事をしている。記録や結果という目に見える現実的な数字や現象を追うために、抽象には極めて弱い。

もうひとつは、子供の頃から漫画を読む習慣がなかったことだ。

漫画が嫌いなのではなくて、男の子とスポーツばかりやっていたので、単に読む習慣がなかっただけである。女の子達に「これって、次にどこを読めばいいの?」と絵の流れを聞いては、「全然夢がないんだから」と、随分と顰蹙《ひんしゅく》を買ったことを思い出した。

しかし、モスクワで見た光景はきっと何かの「縁」ではないか、槇村氏にお目にかかったことはないがそう思い、本書を読ませてもらいたいと返事をした。

芸術としての側面にスポットを当てるならばスポーツとは無縁かもしれない。しかし、肉体を通じて何かを表現する点においては、バレエもスポーツも根を同じにしている。オンチ覚悟であえて言うなら、私はバレエという「スポーツ」に深い関心と敬意を抱いている。

大学時代、ひざの靱帯を切って手術のために2ケ月近く入院したことがある。一緒に長い間リハビリをした女性はバレエで靱帯を切ったという。私はバスケットで傷めた上に手術をしたので、何故バレエで?と不思議に思った。彼女が丁寧に説明してくれた話によれば、バレエでも靱帯を切るという。着地でもバチンと腱が弾けるような音がしたと思ったら足を傷めている、慢性的に関節を酷使しているし、疲労骨折さえ起きる、と。
バレエと聞くと、私はなぜか優雅さや美の追求と同様に、激しいコンタクトスポーツのように怪我をすると言われた過酷さを思う。筋肉や肉体をあれほどストレートに使う「スポーツ」はほかにないのではないか。
こうした肉体の表現方法と同時に、精神をどう扱うのかもまた、芸術でもスポーツでも共通項の多いテーマではないだろうか。
『God Bless You』の中には、スポーツでも起こり得る精神的な葛藤が描かれている点を何より興味深く読んだ。
主人公の千穂が両親を事故で失ったショックのため、音を聞き取れなくなる。医学的な現実と実証を要する話ではなく、実際にスポーツ選手はレベルが高くなれば高くなるほど、信じがたい恐怖感にさらされている。一度死球を頭に受けた野球選手が、その恐怖を克服できずに打撃不振に陥り、陸上のハードル種目で転倒した選手が、記録を一気に落とす姿も見た。眼の周りを骨折したサッカー選手が、視力を取り戻すだけのためにどれほどのエネルギーと時間をかけるかも教えられた。
しかし彼らは、そうした挫折から必ず逆襲してみせる。
選手には申し訳ないが、勢いのある、若いスーパースターたちの活躍以上に、挫折という名の高いハードルを一度も二度も飛び越えて来た選手たちの円熟に、私はスポーツの持っている深い魅力を覚える。

千穂が音を失うシーンには、だから共感した。「誰でも最初はバレエを知っている」と、灰田真利子が口にしたくだりも、スポーツには通じるものがある。最初は楽しくて好きだから続いていく競技も、挫折を味わい、スランプを知り、ある意味では自分の限界を自分で定めるような残酷さも経験しなくてはならない。最初に愛したものを、最後まで愛して行く集中力やエネルギーは、実はアスリートにとって、極めて希有な才能であるという点で、灰田の言葉は示唆に富む。

さて、挫折の乗り越え方である。

千穂が彼と踊れる日を夢に見て、最後はその彼ゆえにハッピーエンドとなるシーンが気に入ってしまった。学生時代の友人を思い出したからである。彼女は、物静かで笑顔を絶やさない、チャーミングな友達だった。

昼休み前にパンを食べ、昼休みには弁当を食べ、練習前にも何か口にして、と恐るべき食欲だった私とは正反対で、いつも小さな弁当箱に軽く食事を詰めていた。

「バレエってお腹空かないの?」

有名なバレエ団にいた彼女にそう聞いたことがある。

「あのね、一緒に踊る男の人がいて、その人の迷惑になっちゃいけないでしょ。だから体重を増やさないようにしているの」